초등 수학 교구 상자

입체 공간감각을 길러주는
멀티큐브 퍼즐

Cube Build

큐브빌드

A

사고가 자라는 수학
씨투엠

차 례

1 똑같이 쌓기 1

2 소마큐브 7

3 쌓기표 13

4 위, 앞, 옆 19

정답 25

"꿈꾸는 아이들을 위한 교육 사다리"

논리와 재미, 즐거운 수학 교육을 위한 최고의 콘텐츠를 만들겠습니다

사고가 자라는 수학

• 법인명: ㈜씨투엠에듀(C2MEDU corp.)

• CEO: 한헌조

• 창립연도: 2014년 10월

• 홈페이지: www.c2medu.co.kr

01 똑같이 쌓기

연관 활동: 교구 매뉴얼 activity 4

보이지 않는 쌓기나무

쌓기나무를 쌓다 보면 뒤에 있는 쌓기나무가 가려져 보이지 않는 경우가 있습니다. 이때 보이는 쌓기나무만 세는 실수를 막고 보이지 않는 곳에도 쌓기나무가 있다는 것을 알게 하는 것이 중요합니다.

보이지 않는 쌓기나무를 이해하는 효과적인 방법은 정해진 수의 쌓기나무만으로 여러 가지 모양을 만들어 보는 것입니다. 쌓기나무 4개로 모양을 만들다 보면 쌓기나무 1개가 가려지는 경우가 있습니다. 이때, 쌓기나무가 4개라는 것을 처음부터 알고 있었으므로 보이는 3개 뒤에 1개가 더 숨겨져 있다는 것을 쉽게 이해할 수 있습니다.

쌓기나무 4개

쌓기나무 4개

쌓기나무 4개

쌓기나무로 쌓기

✖ 쌓기나무로 다음 모양을 똑같이 쌓아 보세요.

변신! 쌓기나무

✖ 쌓기나무로 첫 번째 모양대로 쌓아 보세요. 쌓기나무를 **1**개씩 옮겨가며 화살표를 따라간
  모양을 차례대로 만들어 보세요.

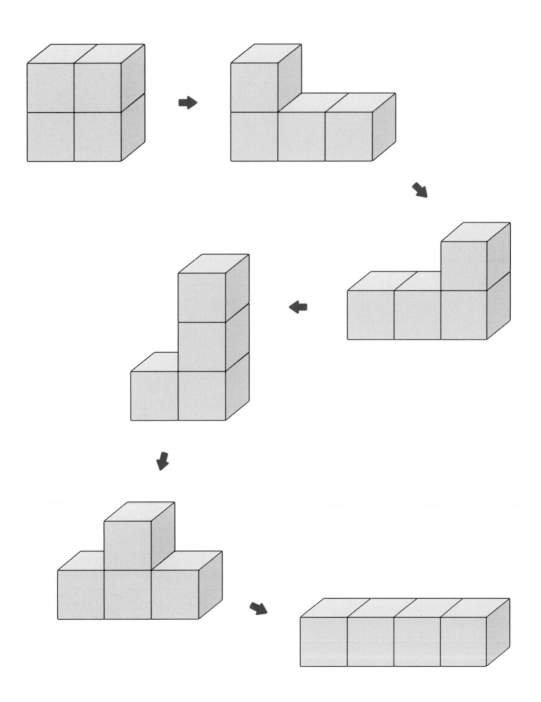

쌓기나무의 위치

✖ 설명하는 위치에 있는 쌓기나무를 찾아 ○표 하세요.

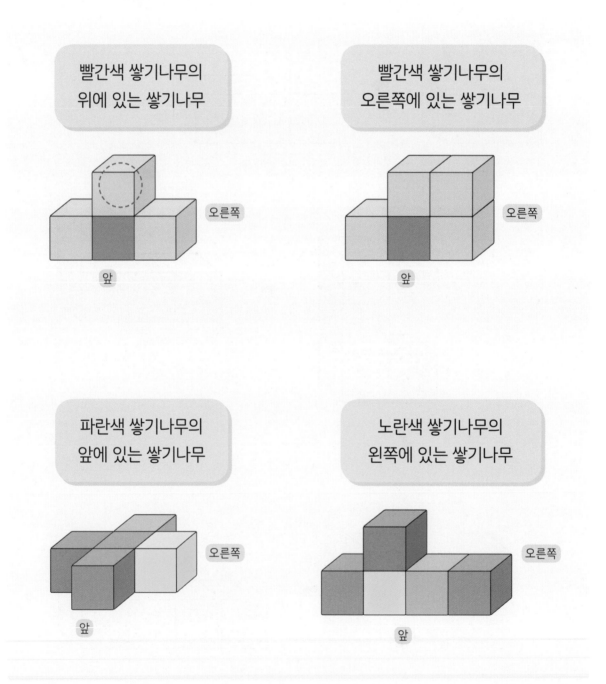

빨간색 쌓기나무의
위에 있는 쌓기나무

오른쪽

앞

빨간색 쌓기나무의
오른쪽에 있는 쌓기나무

오른쪽

앞

파란색 쌓기나무의
앞에 있는 쌓기나무

오른쪽

앞

노란색 쌓기나무의
왼쪽에 있는 쌓기나무

오른쪽

앞

설명대로 쌓은 모양

설명대로 쌓은 모양에 ○표 하세요.

쌓기나무가 **2**개가 옆으로 나란히 있고,
오른쪽 쌓기나무 위에 **1**개가 있어요.

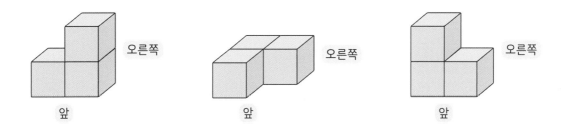

쌓기나무가 **1**층에 **3**개, **2**층에 **1**개 있어요.

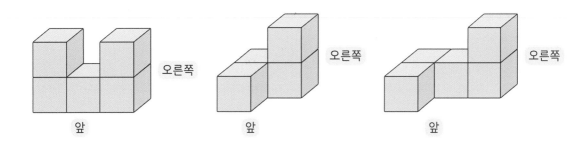

설명대로 쌓기

✂ 설명대로 쌓기나무를 쌓아 보세요. 쌓은 모양대로 스티커를 붙여 보세요.

쌓기나무가 **3**개가 옆으로 나란히 있고, 왼쪽 쌓기나무 위에 **1**개가 있어요.

쌓기나무를 쌓은 다음, 쌓은 모양대로 스티커를 붙여.

쌓기나무가 **2**개가 옆으로 나란히 있고, 오른쪽 쌓기나무 앞에 **1**개가 있어요.

02 소마큐브

연관 활동: 교구 매뉴얼 activity 2

소마큐브의 유래

소마큐브는 덴마크 수학자이자 양자물리학자인 피에트 하인(Piet Hein)이 만든 퍼즐로 쌓기나무 3개 또는 4개를 붙여 만든 조각 7개로 구성된 입체 퍼즐입니다.

1936년, 피에트 하인은 '공간은 어떻게 정육면체들로 잘게 쪼개지는가?'라는 양자물리학 강의를 듣던 중 '크기가 같고 면이 접하는 정육면체를 붙여 만든 조각으로 좀 더 큰 정육면체를 만들 수 있을까?'라는 생각을 하게 되었습니다. 그 결과 소마큐브 퍼즐을 만들게 되었습니다.

'소마'라는 이름은 헉슬리의 소설 '용감한 신세계'에서 인용된 말로 소설 속 세계의 정착민들이 사용했던 중독성 강한 약물의 이름입니다. 소마큐브가 재미있고 중독성 있는 퍼즐이기 때문에 '소마'라는 이름을 갖게 된 것입니다.

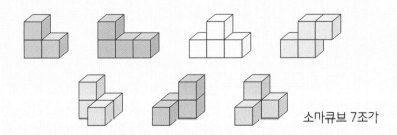

소마큐브 7조각

소마큐브 7조각

준비물 · 멀티큐브, 스티커

✖ 소마큐브 **7**조각은 다음과 같습니다. 쌓기나무 스티커 **1**개 또는 **2**개를 더 붙여 소마큐브 조각을 완성해 보세요. 또, 멀티큐브 중에서 소마큐브 **7**조각을 찾아보세요.

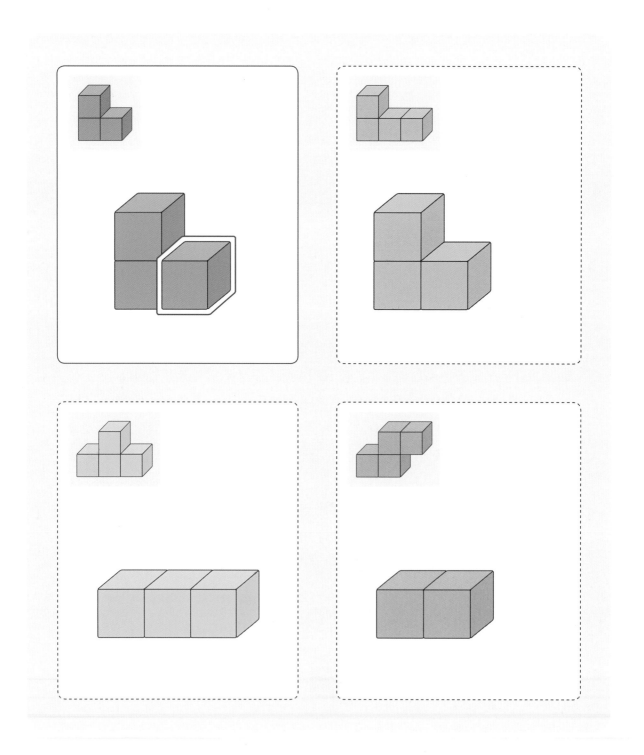

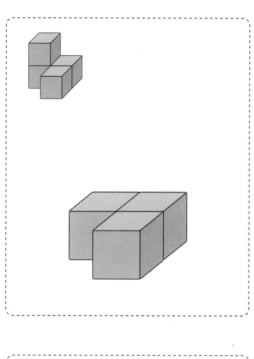

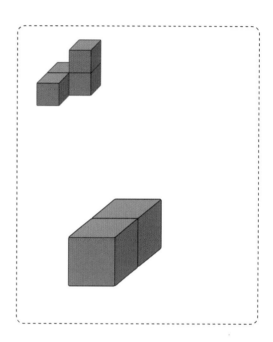

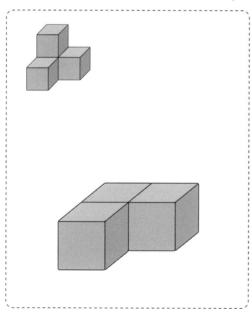

모양 만들기

🪚 주어진 멀티큐브 조각을 사용하여 다음 모양을 만들어 보세요.

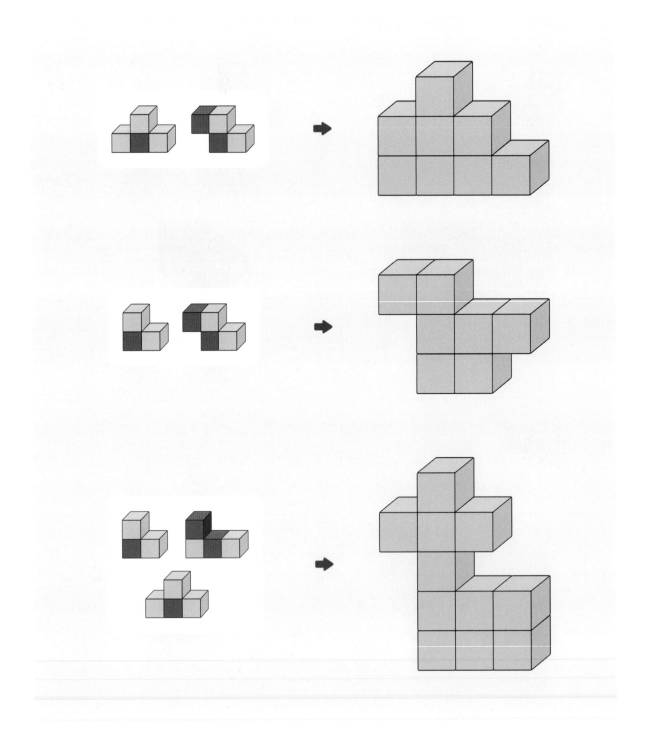

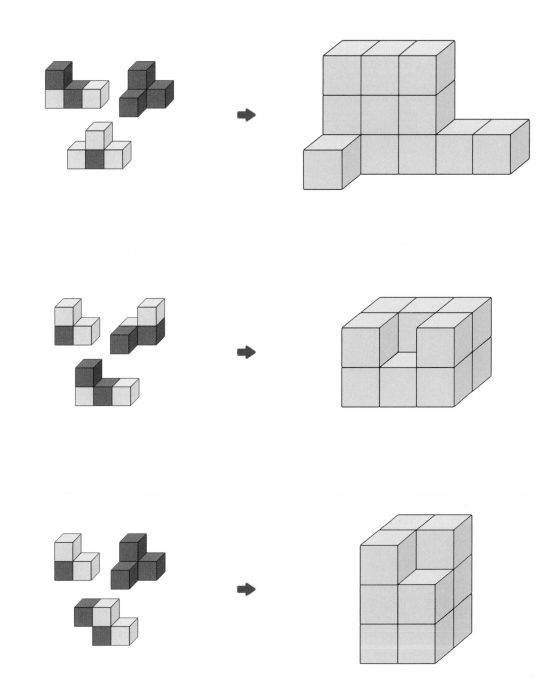

빌딩과 탑

✖ 주어진 멀티큐브 조각을 사용하여 빌딩과 탑 모양을 만들어 보세요.

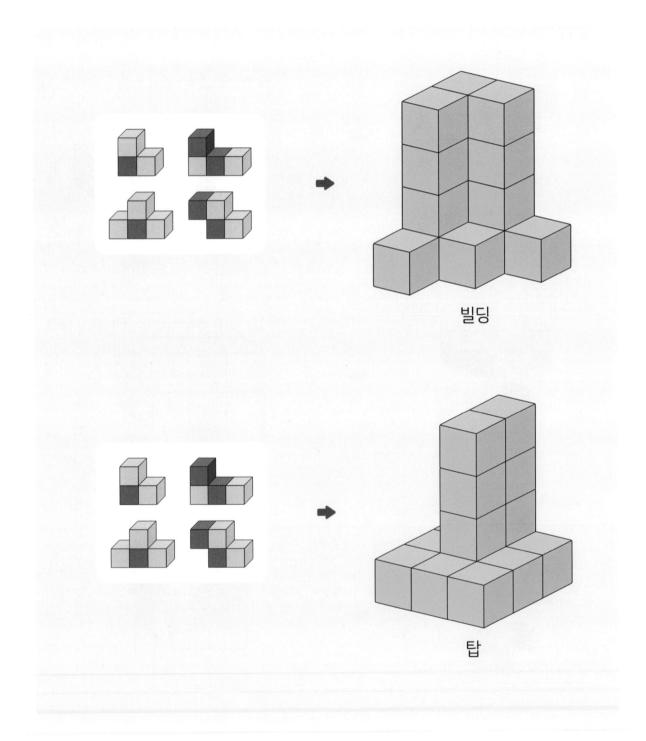

빌딩

탑

03 쌓기표

연관 활동: 교구 매뉴얼 activity 3

한 눈에 보는 쌓기나무

쌓기나무로 만든 모양을 간단하게 나타내는 방법은 무엇일까요?

내가 만든 모양을 친구에게 설명한다고 생각해 봅시다. "쌓기나무를 1층에 3개 놓는데 ㄱ자로 놓고, 2층에는 2개를 놓는데 서로 붙여서 놓고, 3층에는 1개를 놓아."라고 설명해도 부족한 점이 있습니다. 2층에 2개를 어떤 방향으로 나란히 놓아야 하는지, 3층에 놓는 1개는 어느 위치에 놓는지에 대한 설명이 더 필요합니다.

쌓기표는 쌓기나무로 만든 모양을 한눈에 알아볼 수 있는 표입니다. 먼저 쌓기나무를 놓는 자리를 그린 다음, 그 자리에 쌓는 쌓기나무의 수를 쓰면 완성됩니다. 쌓기표만 있으면 내가 만든 모양을 쉽게 나타낼 수 있습니다.

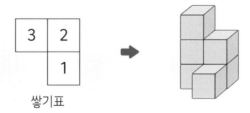

쌓기표

쌓기나무 아파트

✖ 네모 안에 쓰인 수만큼 네모 안에 쌓기나무를 쌓아올려 보세요.

| 1 | 3 | 2 |

| 1 | 2 |

네모 안에 적힌 수는 쌓기나무를 쌓는 층 수야.

| 2 |
| 1 | 1 |

| 3 |
| 2 |
| 1 |

| 1 | 2 | 1 | 2 |

2	2
2	2

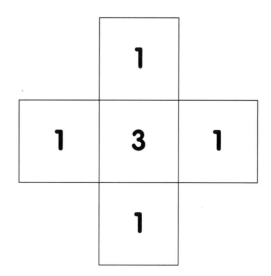

3	3
2	2
1	1

1	2	3
		2
		1

쌓기나무의 위치

✖ 각 칸에 쌓은 쌓기나무의 개수를 세어 보세요. 쌓기나무가 쌓인 위치에 맞게 빈칸에 알맞은 수 스티커를 붙여 쌓기표를 완성해 보세요.

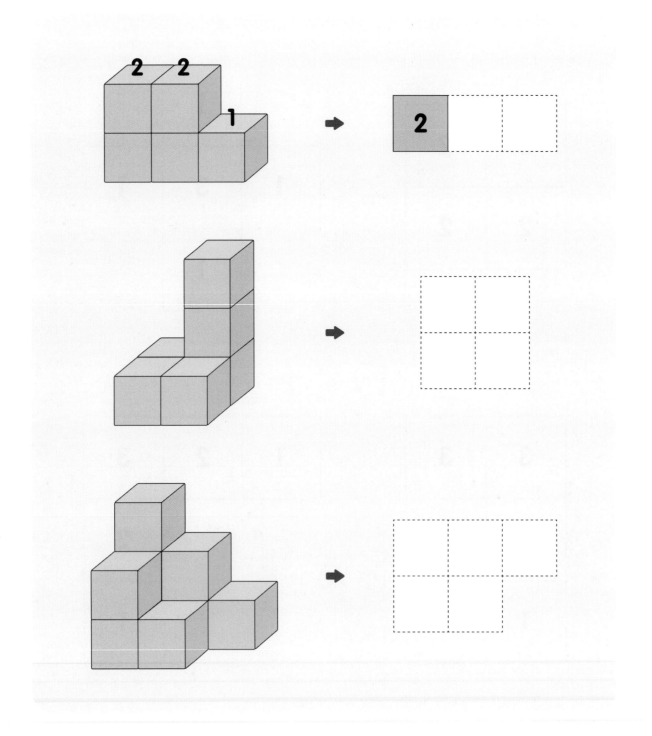

멀티큐브 조각 중 소마큐브 **7**조각을 각 칸에 쌓인 쌓기나무의 개수에 맞게 놓아 보세요.

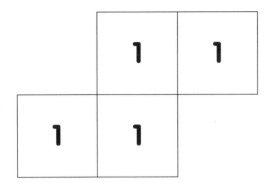

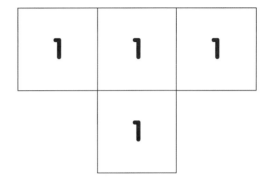

2	1

1	1	2

1	2
1	

2	1
	1

1	2
	1

쌓기표대로 쌓기

✖ 각 칸에 쌓인 쌓기나무의 개수대로 쌓기나무를 쌓아 봅시다.

준비물 쌓기나무판, 쌓기나무, 카드(쌓기표)

1 쌓기나무판과 쌓기나무를 준비합니다. 쌓기표 카드를 쌓기표가 보이도록 쌓아 놓습니다.

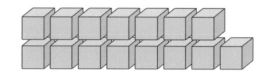

2 쌓기표 카드 하나를 고릅니다. 쌓기나무판 위에 쌓기표대로 쌓기나무를 쌓아 봅니다.

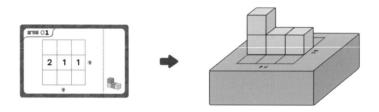

3 같은 방법으로 다른 쌓기표 카드로도 쌓기표대로 쌓기나무를 쌓아 봅니다.

> 멀티큐브로 쌓는 원래 카드 활동을
> 하기 전에 쌓기나무로 쌓아 보면
> 쌓기표를 이해하기 쉬워.

04 위, 앞, 옆

연관 활동: 교구 매뉴얼 activity 1

쌓기표 관찰

쌓기표는 쌓기나무가 쌓인 위치마다 층 수를 써서 표로 만든 것입니다.

쌓기표 칸이 없는 곳에는 쌓기나무를 쌓지 않으므로 쌓기표 모양은 위에서 본 모양이 됩니다. 또한 쌓기표에 적힌 수는 각 칸에 쌓는 쌓기나무의 수이므로 쌓기표에 적힌 수를 모두 더하면 전체 쌓기나무의 개수가 됩니다.

쌓기나무로 활동을 할 때 쌓기표를 알아두면 모양을 만들거나 전체 개수를 구하거나 위, 앞, 옆 모양을 아는 데 도움이 됩니다.

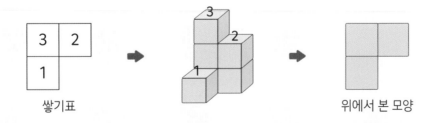

쌓기표　　　　　　　　　　　　　　위에서 본 모양

위, 앞, 옆 모양

준비물 · 스티커

✖ 위, 앞, 옆에서 본 모양대로 스티커를 붙여 보세요.

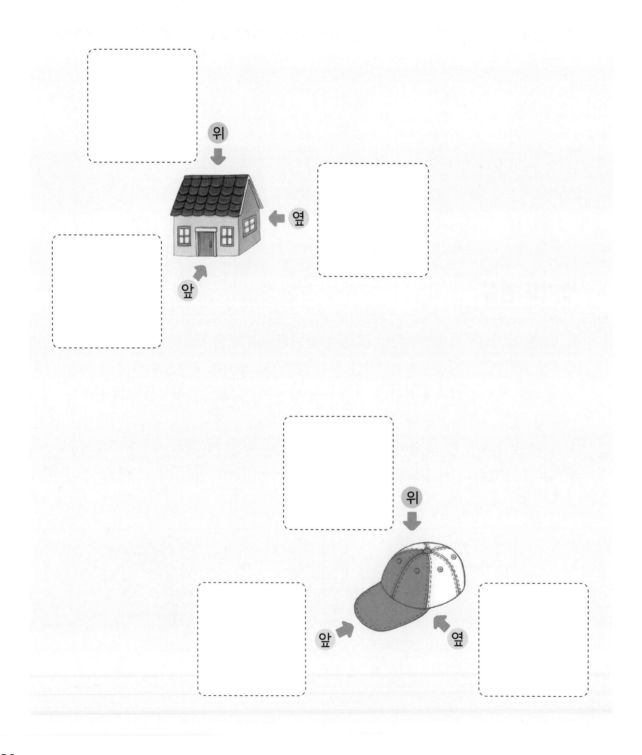

위

옆

앞

위

앞

옆

위, 앞, 옆 완성

준비물 ▶ 쌓기나무, 스티커

✖ 쌓기나무로 쌓은 모양을 위, 앞, 옆에서 본 모양을 그리고 있습니다. 빈 곳에 알맞게 스티커를 붙여 위, 앞, 옆 모양을 완성해 보세요.

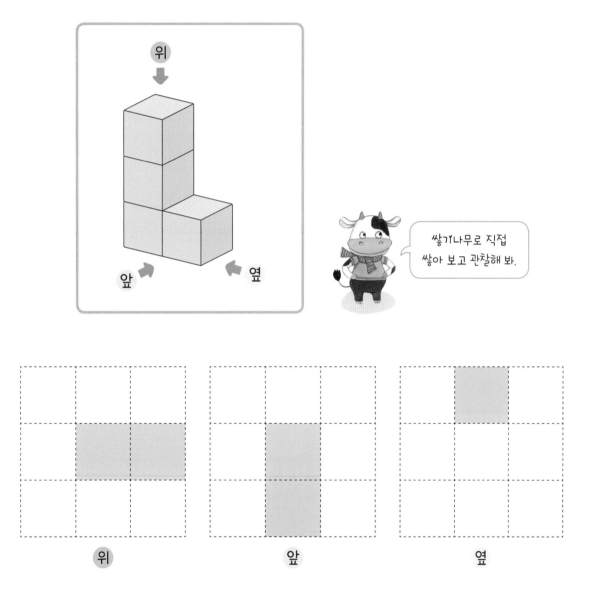

쌓기나무로 직접 쌓아 보고 관찰해 봐.

위   앞   옆

위, 앞, 옆 그리기

❤️ 쌓기나무판에 다음과 같이 쌓기나무를 쌓은 다음 위, 앞, 옆에서 관찰해 보세요. 관찰한 위, 앞, 옆 모양을 빈 곳에 알맞게 그려 보세요.

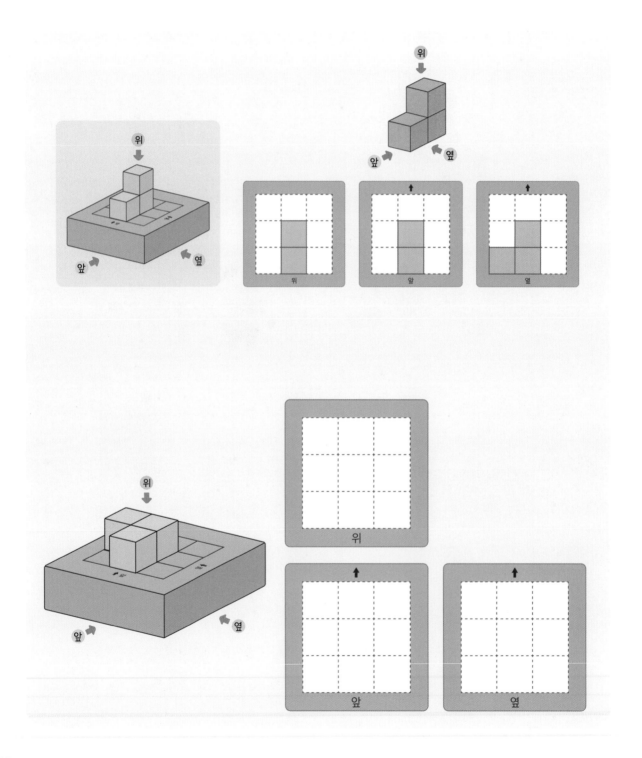

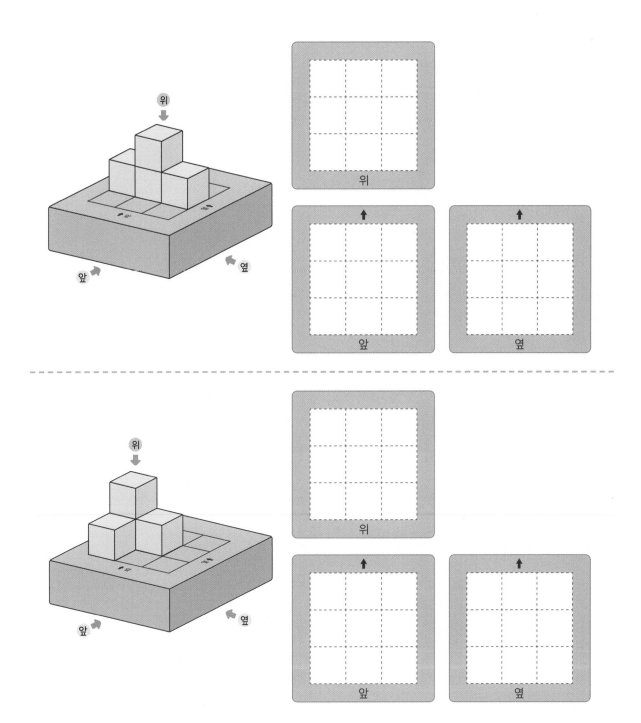

쌓은 모양 찾기

✤ 쌓기나무로 쌓은 모양을 위, 앞, 오른쪽 옆에서 본 모양입니다. 알맞은 쌓기나무 모양을 찾아 ○표 하세요.

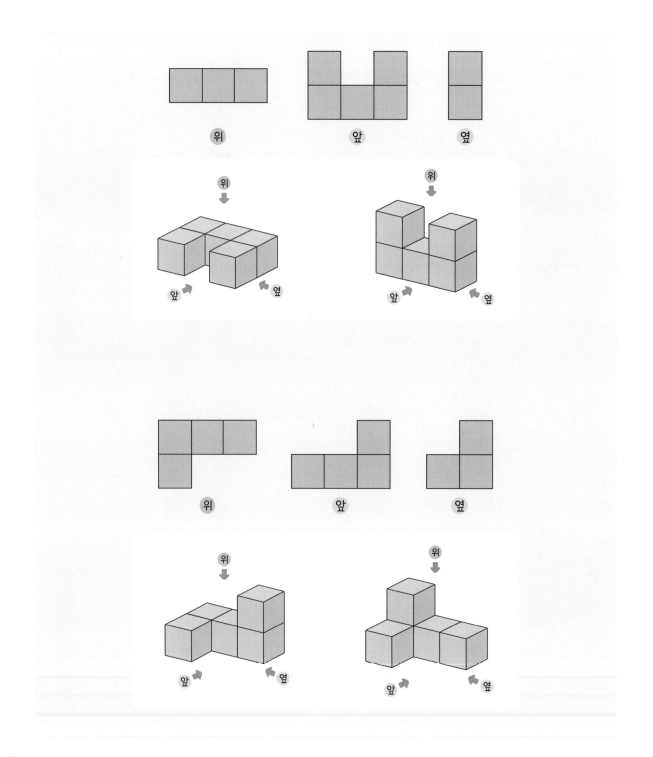

정답

큐브빌드 A

큐브빌드 A

쌓기나무로 쌓기

준비물 쌓기나무

✕ 쌓기나무로 다음 모양을 똑같이 쌓아 보세요.

쌓기나무로 똑같이 만들어 봅니다.

변신! 쌓기나무

준비물 쌓기나무

✕ 쌓기나무로 첫 번째 모양대로 쌓아 보세요. 쌓기나무를 1개씩 옮겨가며 화살표를 따라간 모양을 차례대로 만들어 보세요.

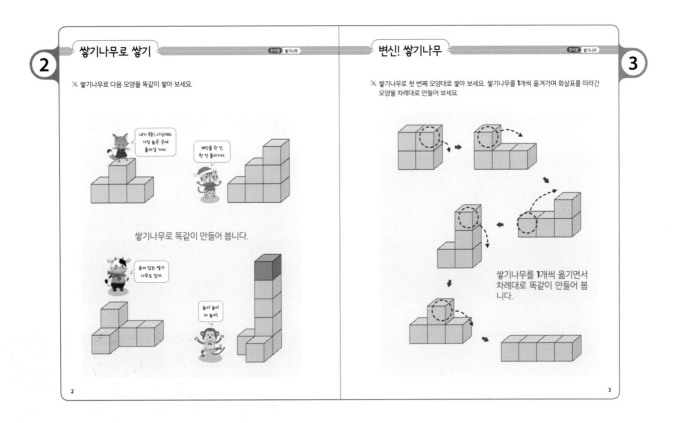

쌓기나무를 1개씩 옮기면서 차례대로 똑같이 만들어 봅니다.

쌓기나무의 위치

✕ 설명하는 위치에 있는 쌓기나무를 찾아 ○표 하세요.

빨간색 쌓기나무의 위에 있는 쌓기나무

빨간색 쌓기나무의 오른쪽에 있는 쌓기나무

파란색 쌓기나무의 앞에 있는 쌓기나무

노란색 쌓기나무의 왼쪽에 있는 쌓기나무

설명대로 쌓은 모양

✕ 설명대로 쌓은 모양에 ○표 하세요.

쌓기나무가 2개가 옆으로 나란히 있고, 오른쪽 쌓기나무 위에 1개가 있어요.

쌓기나무가 1층에 3개, 2층에 1개 있어요.

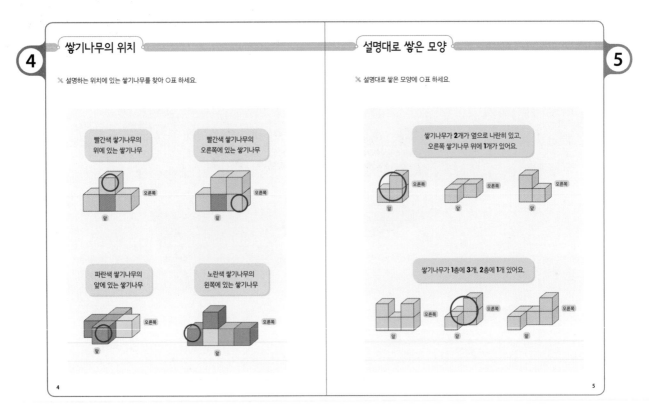

정답

6 설명대로 쌓기

준비물 쌓기나무, 스티커

✂ 설명대로 쌓기나무를 쌓아 보세요. 쌓은 모양대로 스티커를 붙여 보세요.

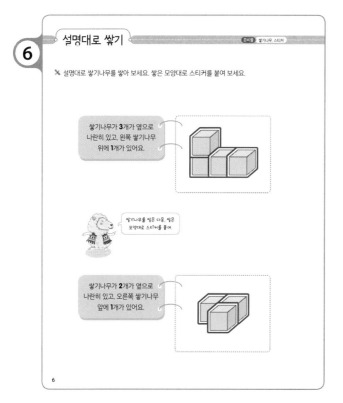

쌓기나무가 **3**개가 옆으로 나란히 있고, 왼쪽 쌓기나무 위에 **1**개가 있어요.

쌓기나무를 쌓은 다음, 쌓은 모양대로 스티커를 붙여.

쌓기나무가 **2**개가 옆으로 나란히 있고, 오른쪽 쌓기나무 앞에 **1**개가 있어요.

6

8 9 소마큐브 7조각

준비물 멀티큐브, 스티커

✂ 소마큐브 **7**조각은 다음과 같습니다. 쌓기나무 스티커 **1**개 또는 **2**개를 더 붙여 소마큐브 조각을 완성해 보세요. 또, 멀티큐브 중에서 소마큐브 **7**조각을 찾아보세요.

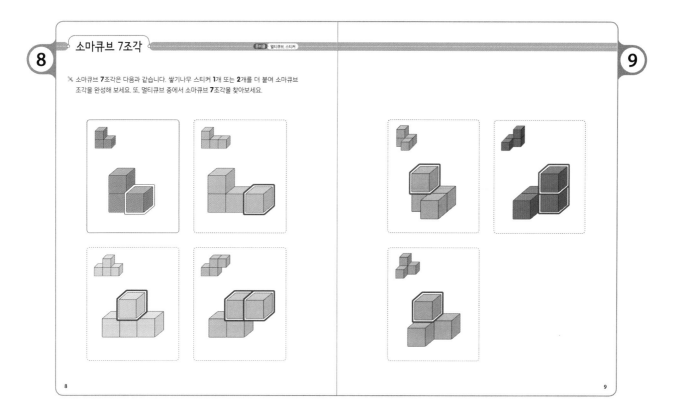

8

9

큐브빌드 A

모양 만들기

주어진 멀티큐브 조각을 사용하여 다음 모양을 만들어 보세요.

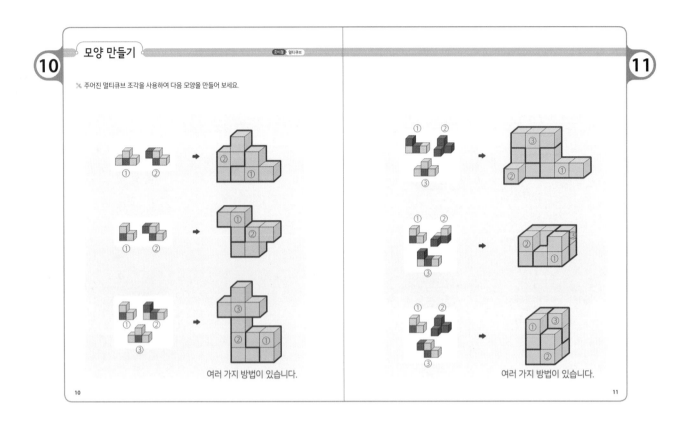

여러 가지 방법이 있습니다.

여러 가지 방법이 있습니다.

빌딩과 탑

주어진 멀티큐브 조각을 사용하여 빌딩과 탑 모양을 만들어 보세요.

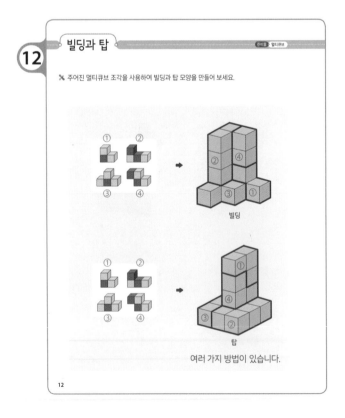

빌딩

탑

여러 가지 방법이 있습니다.

정답

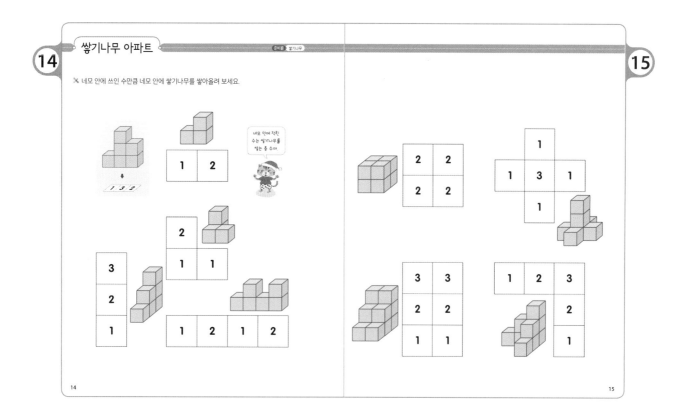

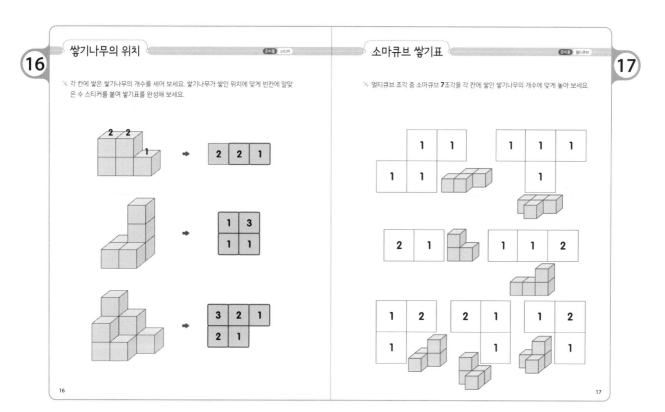

큐브빌드 A

쌓기표대로 쌓기

✘ 각 칸에 쌓인 쌓기나무의 개수대로 쌓기나무를 쌓아 봅시다.

큐브빌드 교구 활동

준비물 쌓기나무판, 쌓기나무, 카드(쌓기표)

1 쌓기나무판과 쌓기나무를 준비합니다. 쌓기표 카드를 쌓기표가 보이도록 쌓아 놓습니다.

2 쌓기표 카드 하나를 고릅니다. 쌓기나무판 위에 쌓기표대로 쌓기나무를 쌓아 봅니다.

3 같은 방법으로 다른 쌓기표 카드로도 쌓기표대로 쌓기나무를 쌓아 봅니다.

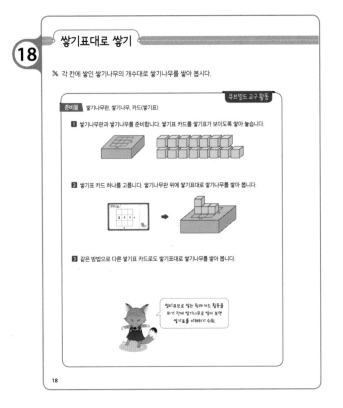

엠티큐브로 씩는 원래 카드 활동을
하기 전에 쌓기나무로 씩어 보면
쌓기표를 이해하기 쉬워.

18

위, 앞, 옆 모양

준비물 스티커

✘ 위, 앞, 옆에서 본 모양대로 스티커를 붙여 보세요.

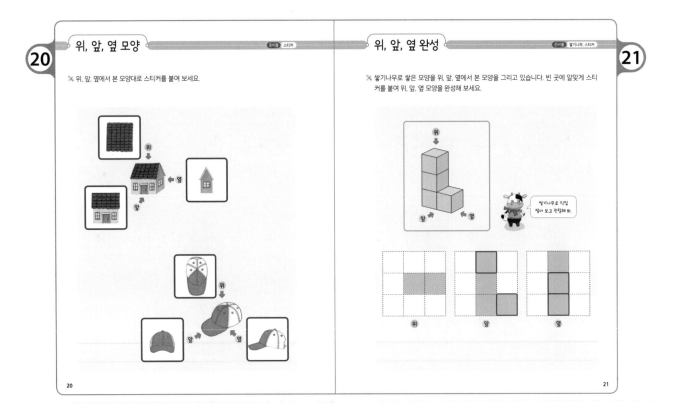

20

위, 앞, 옆 완성

준비물 쌓기나무, 스티커

✘ 쌓기나무로 쌓은 모양을 위, 앞, 옆에서 본 모양을 그리고 있습니다. 빈 곳에 알맞게 스티커를 붙여 위, 앞, 옆 모양을 완성해 보세요.

쌓기나무로 직접
쌓아 보고 관찰해 봐.

위   앞   옆

21

위, 앞, 옆 그리기

쌓기나무판, 쌓기나무

쌓기나무판에 다음과 같이 쌓기나무를 쌓은 다음 위, 앞, 옆에서 관찰해 보세요. 관찰한 위, 앞, 옆 모양을 빈 곳에 알맞게 그려 보세요.

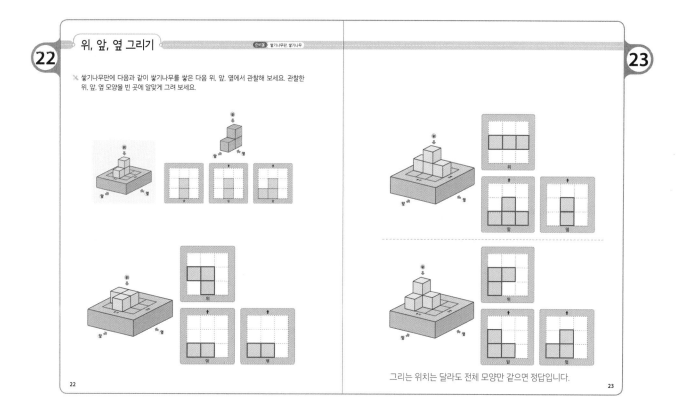

그리는 위치는 달라도 전체 모양만 같으면 정답입니다.

쌓은 모양 찾기

쌓기나무로 쌓은 모양을 위, 앞, 오른쪽 옆에서 본 모양입니다. 알맞은 쌓기나무 모양을 찾아 ○표 하세요.

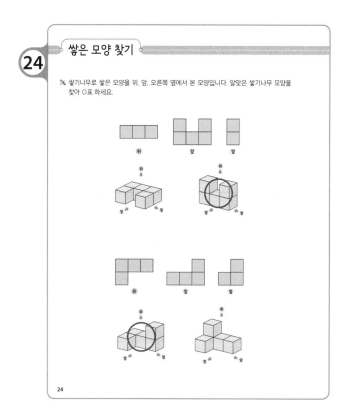

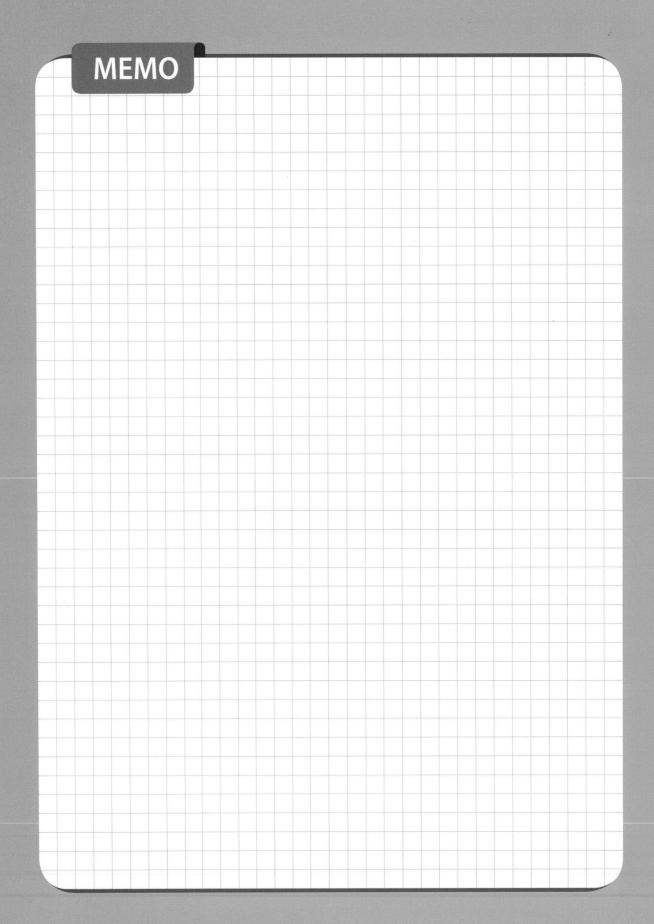
MEMO

큐브빌드 A

6쪽

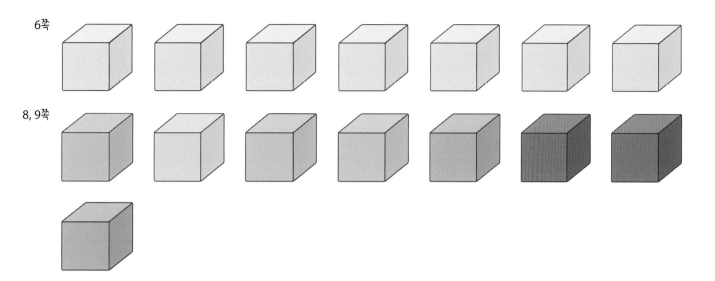

8, 9쪽

16쪽

1	1	1	1	1	1	1	1	1
2	2	2	2	2	3	3	3	3

21쪽

20쪽

펜토미노턴

평면 공간감각을 길러주는 회전 펜토미노 퍼즐

초등학생들이 어려워하는 '평면도형의 이동'을 펜토미노와 패턴 블록으로 도형을 직접 돌려보며 재미있게 해결하는 공간감각 퍼즐입니다.

큐브빌드

입체 공간감각을 길러주는 멀티큐브 퍼즐

머릿속으로 그리기 어려운 입체도형을 쌓기나무와 멀티큐브를 이용하여 직접 만들어 위, 앞, 옆 모양을 관찰하고, 다양한 입체 모양을 만드는 공간감각 퍼즐입니다.

폴리탄

도형감각을 길러주는 입체 칠교 퍼즐

정사각형을 7조각으로 자른 '입체 칠교'와 직각이등변삼각형을 붙인 '입체 볼로'를 활용하여 평면뿐만 아니라 다양한 입체도형 문제를 해결하는 퍼즐입니다.

트랜스넘버

자유자재로 식을 만드는 멀티 숫자 퍼즐

자유자재로 식을 만들고 이를 변형, 응용하는 활동을 통해 연산 원리와 연산감각을 길러주는 멀티 숫자 퍼즐입니다.

머긴스빙고

수 감각을 길러주는 창의 연산 보드 게임

빙고 게임과 머긴스 게임을 활용하여 수 감각과 연산 능력을 끌어올리고 전략적 사고를 키우는 사고력 보드 게임입니다.

폴리스퀘어

공간감각을 길러주는 입체 폴리오미노 보드 게임

모노미노부터 펜토미노까지의 폴리오미노를 이용하여 다양한 모양을 만들어 보고, 공간을 차지하는 게임으로 공간감각을 키우는 공간점령 보드 게임입니다.

큐보이드

입체를 펼치고 접는 공간 전개도 퍼즐

여러 가지 모양의 면을 자유롭게 연결하여 접었다 펼치는 활동을 통해 직육면체 전개도의 모든 것을 알아보는 공간 전개도 퍼즐입니다.

I hear and I forget   듣기만 한 것은 잊어버리고

I see and I remember   본 것은 기억되지만

I do and I understand   직접 해 본 것은 이해가 된다

Cube Build

큐브빌드

펴낸곳: ㈜씨투엠에듀   발행인: 한헌조

이 책의 전부 또는 일부에 대한 무단전재와 무단복제를 금합니다.

모델명: 필즈엠_큐브빌드
제조년월: 2023년 2월
주소 및 전화번호: 경기도 수원시 장안구 파장로 7(태영빌딩 3층) / 031-548-1191
제조국명: 한국

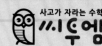

씨투엠 초등 수학 교구 상자

입체 공간감각을 길러주는
멀티큐브 퍼즐

Cube Build

큐브빌드

B

차 례

1 쌍기나무 1

2 위, 앞, 옆 7

3 쌓기표 13

4 입체 구성 19

정답 25

"꿈꾸는 아이들을 위한 교육 사다리"

논리와 재미, 즐거운 수학 교육을 위한 최고의 콘텐츠를 만들겠습니다

사고가 자라는 수학

• 법인명: ㈜씨투엠에듀(C2MEDU corp.)

• CEO: 한헌조

• 창립연도: 2014년 10월

• 홈페이지: www.c2medu.co.kr

01 쌓기나무

연관 활동: 교구 매뉴얼 activity 4

폴리큐브

정사각형을 붙여 만든 도형은 폴리오미노(polyomino)라고 하고, 정육면체를 붙여 만든 도형은 폴리큐브(polycube)라고 합니다. 폴리큐브는 정육면체를 붙인 개수에 따라 이름이 붙여지는데 정육면체 2개를 붙인 도형은 디큐브(dicube), 3개를 붙인 도형은 트리큐브(tricube), 4개를 붙인 도형은 테트라큐브(tetracube), 5개를 붙인 도형은 펜타큐브(pentacube)라고 불립니다.

평면인 폴리오미노(예를 들어 펜토미노)는 일반적으로 대칭인 모양을 한 가지로 봅니다. 대칭인 모양을 돌리거나 뒤집으면 처음 모양과 완전히 겹쳐지기 때문입니다.

하지만 입체인 폴리큐브에서는 대칭인 모양을 항상 한 가지로 볼 수 없는데 돌리거나 뒤집어서 완전히 겹쳐지지 않는 모양이 있기 때문입니다.

다음의 두 소마큐브 조각이 대칭이면서 서로 다른 모양인 경우입니다.

똑같이 쌓기

✖ 쌓기나무로 다음 모양을 똑같이 쌓아 보세요.

좀 더 복잡한
모양을 만들었지.

만들어 개수 세기

✖ 쌓기나무로 다음 모양을 똑같이 쌓고, 쌓기나무 몇 개로 쌓았는지 세어 보세요.

☐ 개

☐ 개

☐ 개

보이지 않는 곳에 있는 쌓기나무도 생각해야 해.

☐ 개

개수를 구하는 방법

보이지 않는 쌓기나무가 있을 때는 쌓기나무의 개수를 세기 힘듭니다. 쌓기나무의 개수를 구하는 방법을 알아보고, □ 안에 알맞은 수를 써넣으세요.

각 줄에서 꼭대기에 놓인 쌓기나무를 찾고,

그 줄에 쌓인 쌓기나무의 개수를 적어.

적은 수를 모두 더하면 전체 개수야.

➡ 4+3+2+1+1+1=12(개)

➡ 3+2+2+1+1= ☐ (개)

쌓기나무의 개수

다음 모양을 쌓는 데 사용한 쌓기나무의 개수를 구해 보세요.

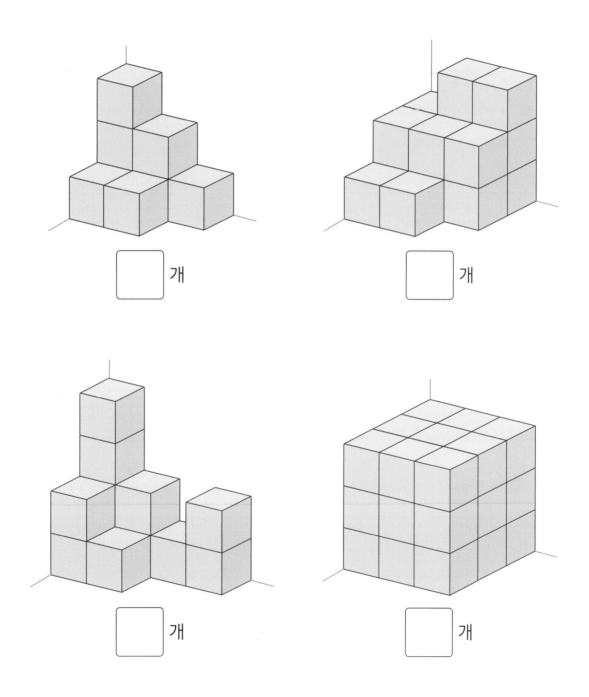

개

개

개

개

층층 쌓기나무

✖ 쌓기나무를 **1**층에 **5**개, **2**층에 **3**개, **3**층에 **2**개 쌓은 모양을 찾아 〇표 하세요.

6

02 위, 앞, 옆

연관 활동: 교구 매뉴얼 activity 1

초등 교과와 쌓기나무

쌓기나무는 모든 모서리의 길이가 같은 상자 모양의 나무 조각입니다. 주어진 모양과 똑같이 쌓기, 쌓은 모양에 사용한 쌓기나무의 개수 알아보기, 쌓은 모양의 위, 앞, 옆 모양 관찰하기 등 쌓기나무로 할 수 있는 활동은 매우 다양하며 중요합니다.

쌓기나무는 입체 공간감각을 기르는 데 가장 단순하면서 효과적인 교구로 초등 교과에서도 쉽게 접할 수 있습니다. 초등 수학 2-1에서는 쌓기나무로 모양을 만들고 만든 모양을 위치와 방향을 이용하여 설명하는 내용을 다루고, 2-2에서는 쌓기나무로 쌓은 모양의 규칙을 찾는 내용을 다루고 있습니다. 또한 6-2에서는 '공간과 입체'라는 단원이 새롭게 만들어져 쌓기나무의 전반에 대해서 다루고 있습니다. 쌓기나무의 위, 앞, 옆, 개수 구하기, 쌓기표, 입체 조각으로 모양 만들기 등 교과에 나오는 내용을 보면 쌓기나무와 입체 공간감각의 중요성을 알 수 있습니다.

위앞옆 카드

✖ 쌓기나무로 오른쪽에 주어진 모양대로 쌓고 위, 앞, 옆 모양을 관찰해 보세요. 위, 앞, 옆
에서 본 모양의 카드를 찾아 번호를 써넣으세요.

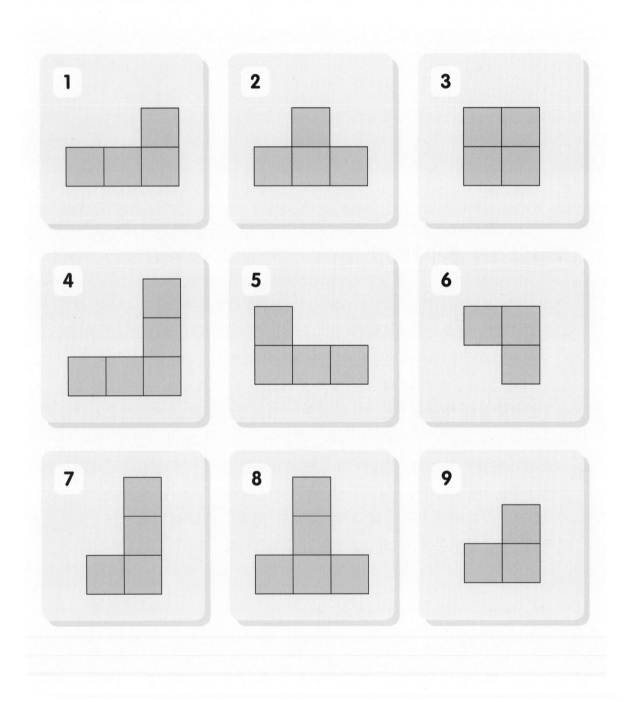

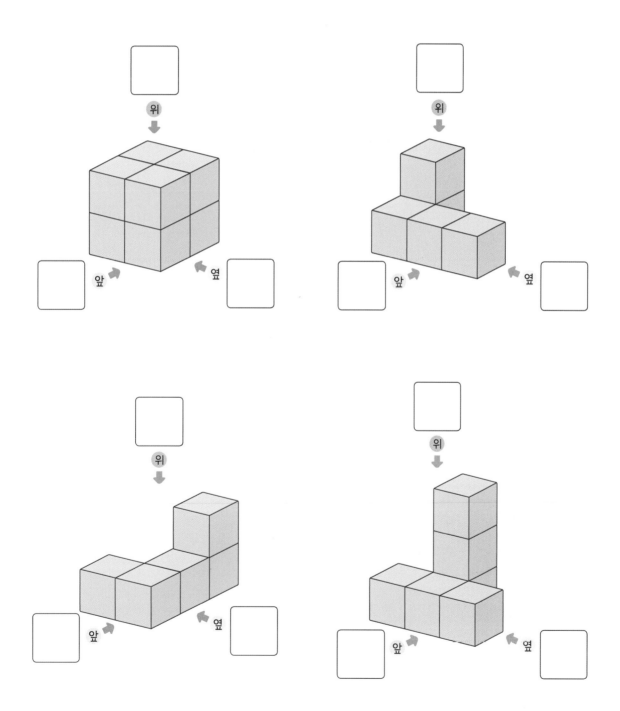

위, 앞, 옆 그리기

준비물 ▸ 쌓기나무판, 쌓기나무

✖ 쌓기나무판에 다음과 같이 쌓기나무를 쌓은 다음 위, 앞, 옆에서 관찰해 보세요. 관찰한 위, 앞, 옆 모양을 빈 곳에 알맞게 그려 보세요.

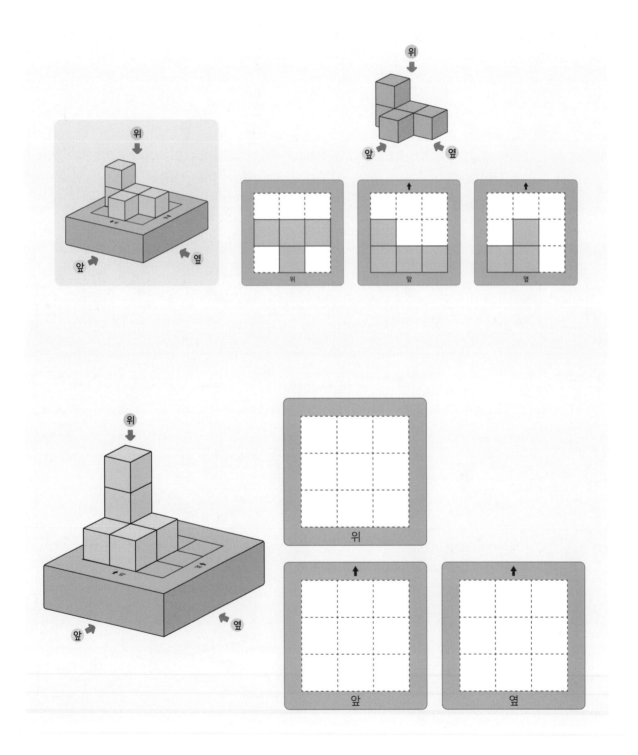

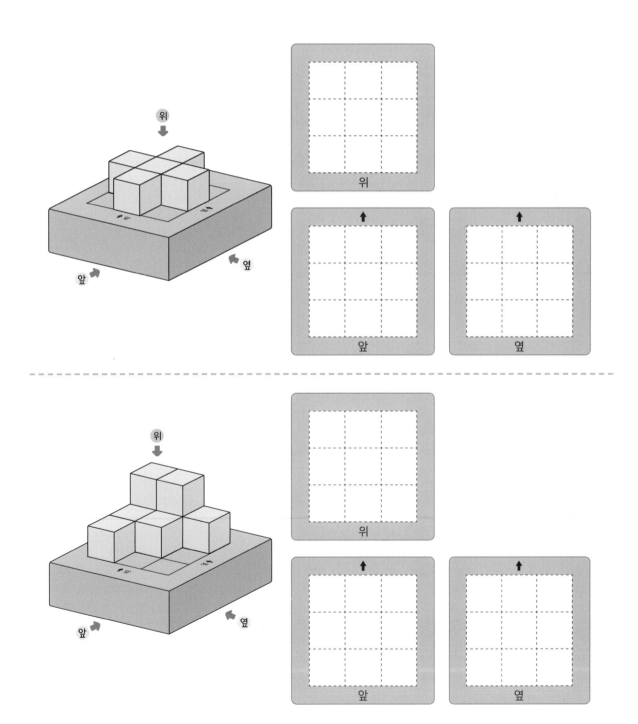

위앞옆과 쌓은 모양

준비물 ▸ 쌓기나무, 스티커

✂ 위, 앞, 오른쪽 옆에서 본 모양대로 쌓은 모양을 만들고 쌓은 모양대로 스티커를 붙여 보세요.

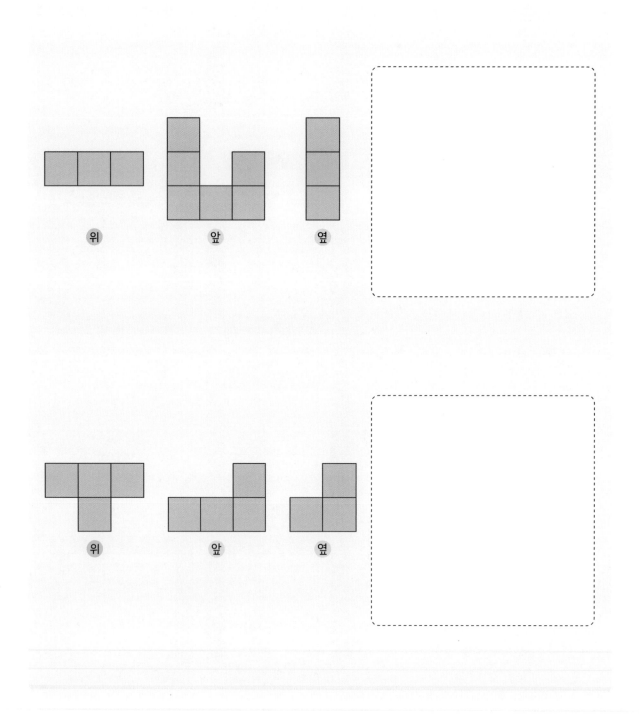

위   앞   옆

위   앞   옆

03 쌓기표

쌓기나무의 개수

쌓기나무의 개수를 구하는 방법은 크게 두 가지입니다.

첫 번째, 각 줄에 있는 쌓기나무의 개수를 모두 더하는 것입니다. 각 줄의 꼭대기에 있는 쌓기나무에 그 줄에 쌓인 쌓기나무의 수를 적고 적은 수를 모두 더하면 됩니다. 이것은 쌓기나무가 쌓인 위치마다 층 수를 써서 나타낸 표인 쌓기표에 적힌 수를 모두 더하는 것과 같습니다.

두 번째, 각 층에 있는 쌓기나무의 개수를 모두 더하는 것입니다. 층별로 나타낸 그림대로 쌓으면 전체 모양이 되므로 층별로 쌓인 쌓기나무의 수를 더하면 전체 개수가 됩니다.

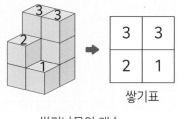

쌓기나무의 개수
→3+3+2+1=9(개)

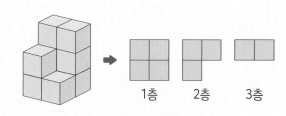

쌓기나무의 개수
→4+3+2=9(개)

쌓기표대로 쌓기

✖ 쌓기나무가 쌓인 위치마다 층 수를 써서 나타낸 표를 쌓기표라고 합니다. 다음 쌓기표대로 쌓기나무를 쌓아 보세요.

2	1	1
	1	3
1	1	

1	2	1
2		2
1	2	1

	1	3
1	1	1
3	1	

쌓기표 만들기

✖ 각 칸에 쌓은 쌓기나무의 개수를 세어 보세요. 쌓기나무가 쌓인 위치에 맞게 빈칸에 알맞은 수 스티커를 붙여 쌓기표를 완성해 보세요.

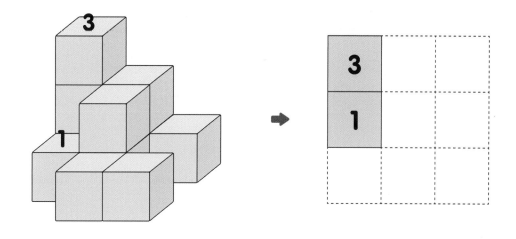

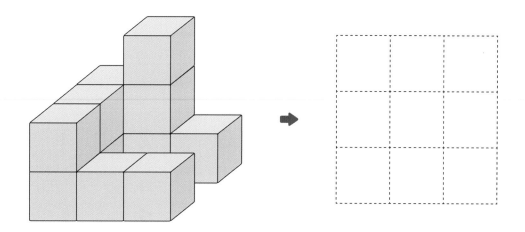

쌓기표와 소마큐브

✂ 주어진 멀티큐브 조각을 쌓기표에 맞게 놓아 보세요.

1	2	3
		2

3	4	3
	1	

3	2	1
3	2	1

쌓기표와 위앞옆

🖐 쌓기표를 보고 위, 앞, 옆에서 본 모양을 만드는 방법을 알아보세요.
다음 쌓기표를 보고 위, 앞, 옆에서 본 모양을 그려 보세요.

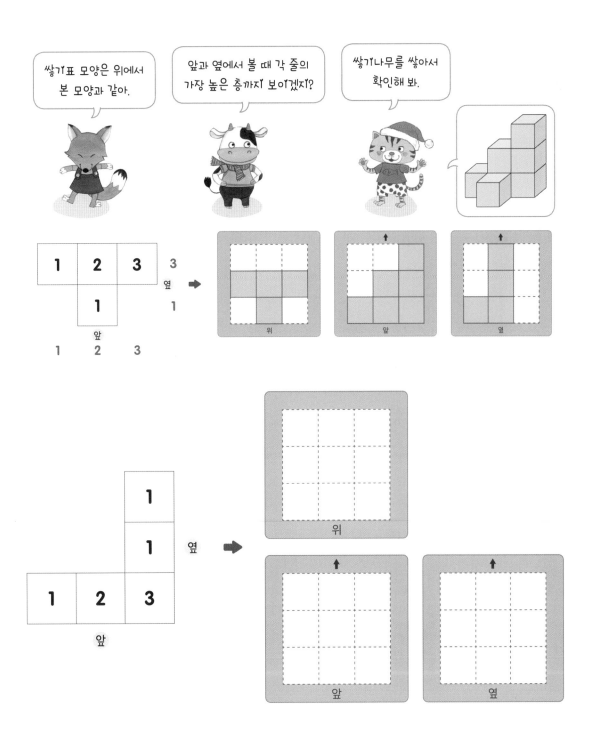

위앞옆 완성

✖ 쌓기표를 보고 위, 앞, 옆 모양을 만들어 봅시다.

준비물 위앞옆판, 칩, 카드(쌓기표1~12)

1 위앞옆판과 칩을 준비합니다. 쌓기표 카드를 쌓기표가 보이도록 쌓아 놓습니다.

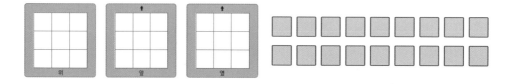

2 1~12 쌓기표 카드 중 하나를 고릅니다. 쌓기표를 보고 위, 앞, 옆에서 본 모양을 구해 위앞옆판에 칩을 붙입니다.

3 같은 방법으로 다른 쌓기표 카드로도 위, 앞, 옆 모양을 완성해 봅니다.

위에서 본 모양은
쌓기표 모양과 같으니
구하기 쉬워.

앞과 옆 모양은 각 줄의
가장 높은 층 수만큼
칩을 붙이면 돼.

18

04 입체 구성

연관 활동: 교구 매뉴얼 activity 2

소마큐브 이야기

소마큐브 조각을 살펴보면 6조각은 정육면체 4개를 붙여 만든 모양인데 1조각만 정육면체 3개를 붙여 만든 모양입니다. 왜 7조각 중 1조각만 3개짜리 조각으로 이루어졌을까요?

소마큐브를 만든 피에트 하인(Piet Hein)은 정육면체를 붙인 조각들을 이용하여 더 큰 정육면체를 만들고 싶었습니다. 큰 정육면체인 3×3×3 정육면체를 만들려면 쌓기나무 27개가 필요합니다. 정육면체 4개를 붙인 조각 7개는 쌓기나무 28개(4×7=28)와 같기 때문에 큰 정육면체를 만들려면 한 조각을 3개짜리로 바꾸어야 합니다.

소마큐브 조각이 아닌 테트라큐브는 다음과 같이 두 조각이 있습니다. 이 중 조각 (1)은 3×3×3 정육면체를 만들 수 없으므로 소마큐브 조각이 될 수 없고, 조각 (2)에서 정육면체 하나를 뺀 모양이 소마큐브 조각이 되었습니다.

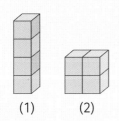

(1)   (2)

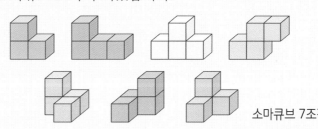

소마큐브 7조각

모양 만들기

주어진 멀티큐브 조각을 사용하여 다음 모양을 만들어 보세요.

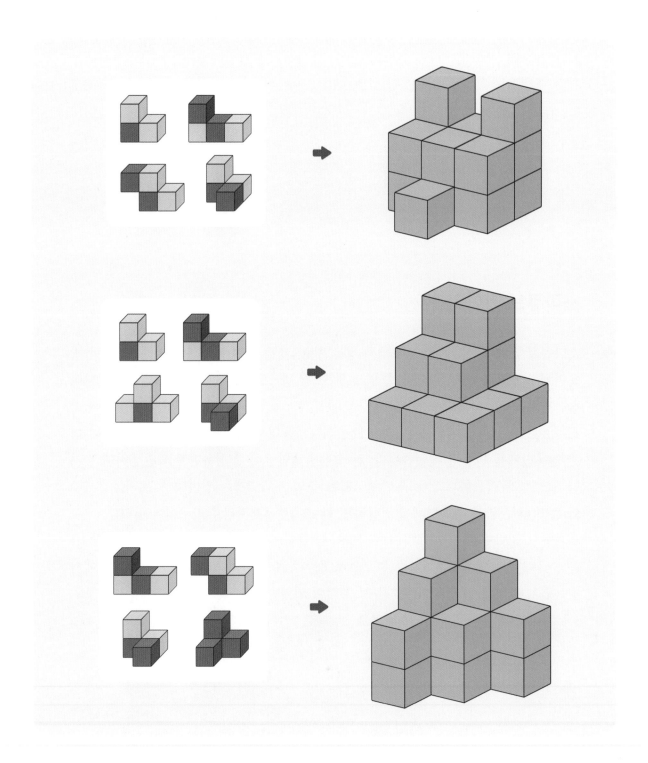

✖ 주어진 멀티큐브 중 **3**조각을 사용하여 다음 모양을 만들어 보세요. 사용하지 않은 조각
에 ×표 하세요.

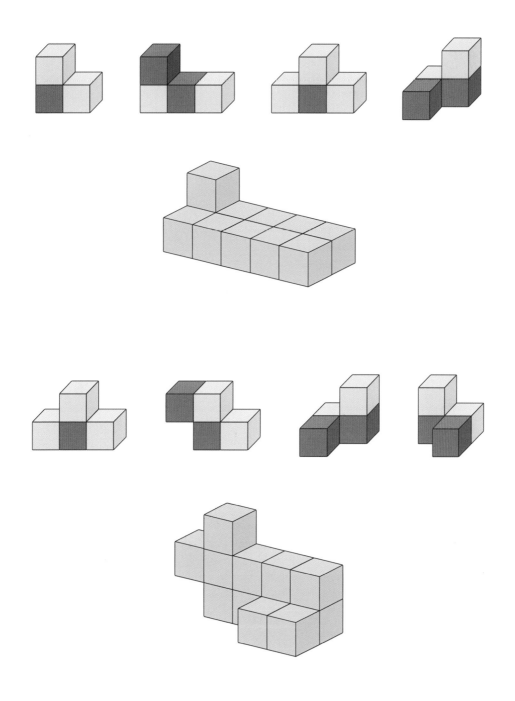

직육면체 만들기

✖ 상자 모양의 입체도형을 직육면체라고 합니다. 주어진 멀티큐브 조각을 사용하여 다음 직육면체를 만들어 보세요.

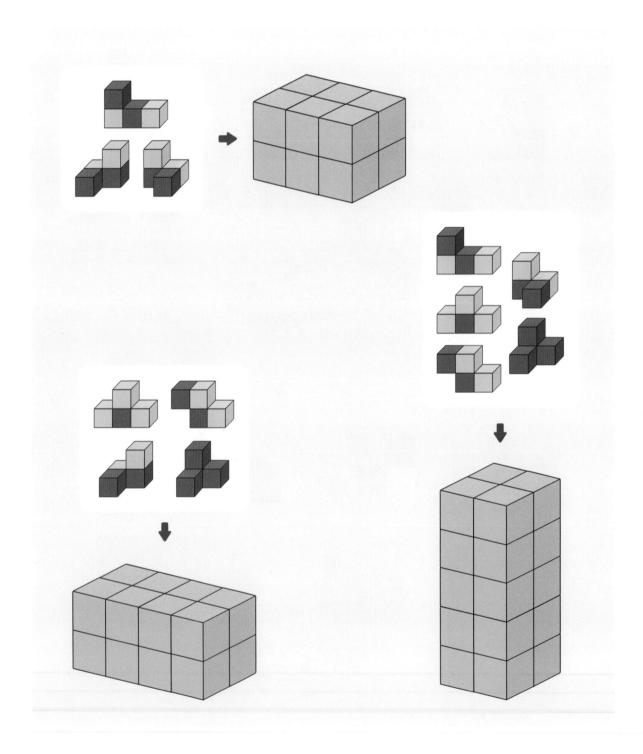

모양 만들기

주어진 멀티큐브 조각을 사용하여 다음 모양을 만들어 보세요.

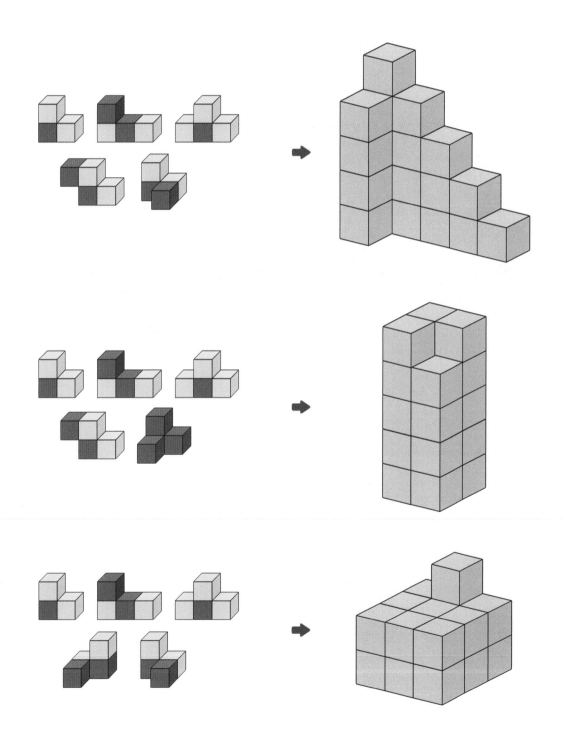

✖ 멀티큐브 중 주어진 소마큐브 **7**조각을 사용하여 공룡과 전갈을 만들어 보세요.

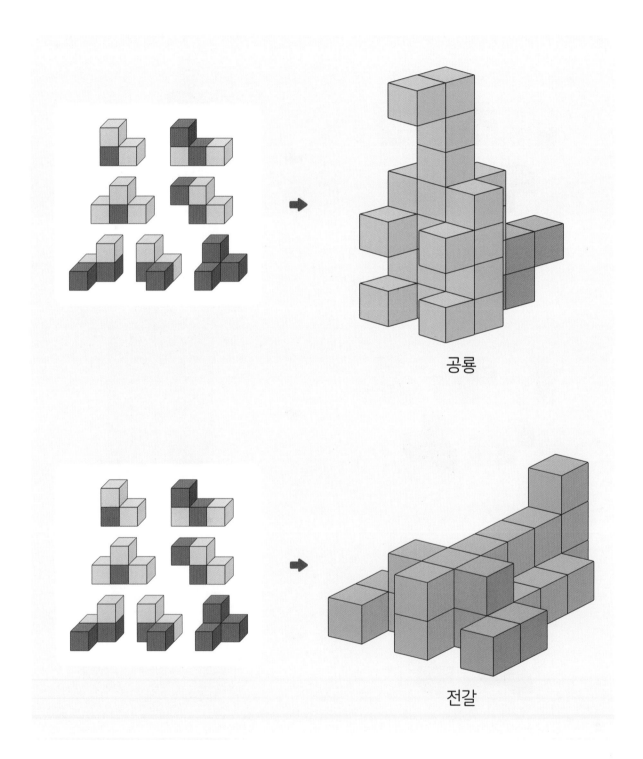

공룡

전갈

정답

큐브빌드 B

큐브빌드 B

똑같이 쌓기

쌓기나무로 다음 모양을 똑같이 쌓아 보세요.

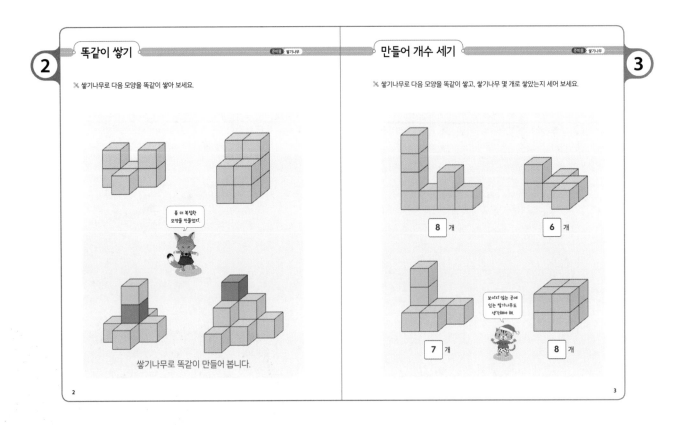

쌓기나무로 똑같이 만들어 봅니다.

만들어 개수 세기

쌓기나무로 다음 모양을 똑같이 쌓고, 쌓기나무 몇 개로 쌓았는지 세어 보세요.

8 개

6 개

7 개

8 개

개수를 구하는 방법

보이지 않는 쌓기나무가 있을 때는 쌓기나무의 개수를 세기 힘듭니다. 쌓기나무의 개수를 구하는 방법을 알아보고, □ 안에 알맞은 수를 써넣으세요.

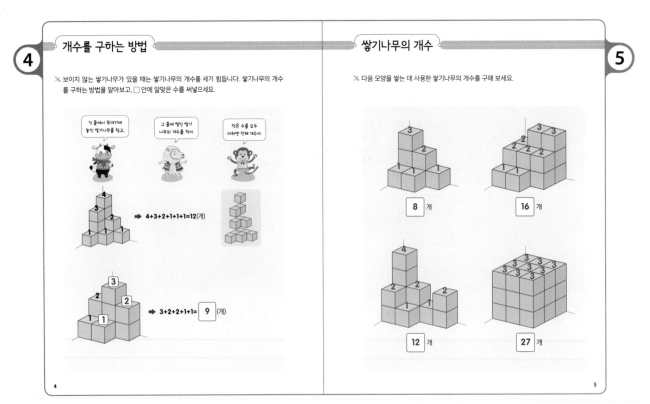

➡ 4+3+2+1+1=12(개)

➡ 3+2+2+1+1= 9 (개)

쌓기나무의 개수

다음 모양을 쌓는 데 사용한 쌓기나무의 개수를 구해 보세요.

8 개

16 개

12 개

27 개

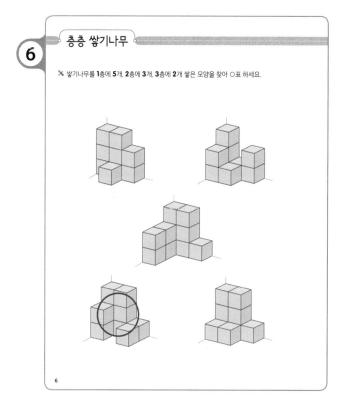

6 층층 쌓기나무

✂ 쌓기나무를 **1층**에 **5개**, **2층**에 **3개**, **3층**에 **2개** 쌓은 모양을 찾아 ○표 하세요.

8 위앞옆 카드

✂ 쌓기나무로 오른쪽에 주어진 모양대로 쌓고 위, 앞, 옆 모양을 관찰해 보세요. 위, 앞, 옆
에서 본 모양의 카드를 찾아 번호를 써넣으세요.

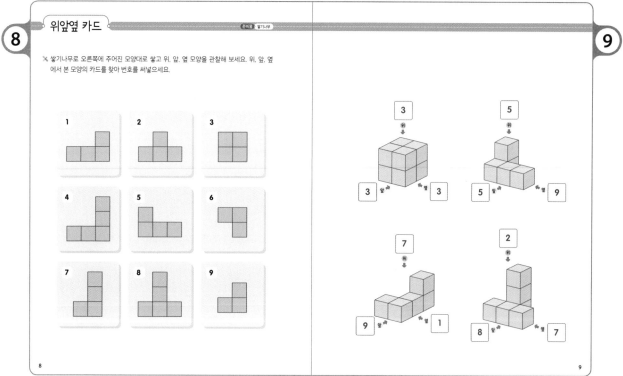

큐브빌드 B

위, 앞, 옆 그리기

쌓기나무판에 다음과 같이 쌓기나무를 쌓은 다음 위, 앞, 옆에서 관찰해 보세요. 관찰한
위, 앞, 옆 모양을 빈 곳에 알맞게 그려 보세요.

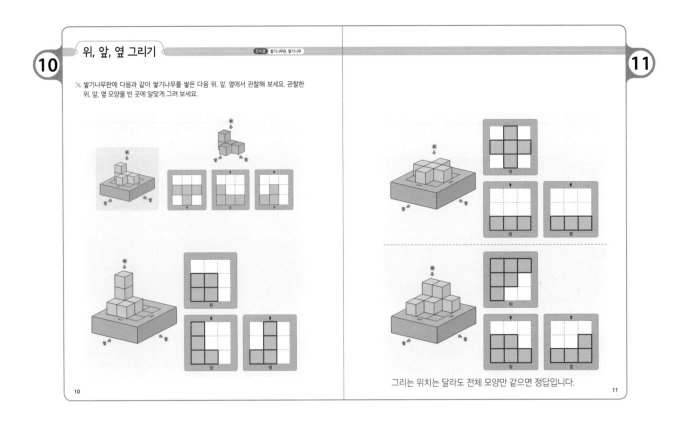

그리는 위치는 달라도 전체 모양만 같으면 정답입니다.

위앞옆과 쌓은 모양

위, 앞, 오른쪽 옆에서 본 모양대로 쌓은 모양을 만들고 쌓은 모양대로 스티커를 붙여 보
세요.

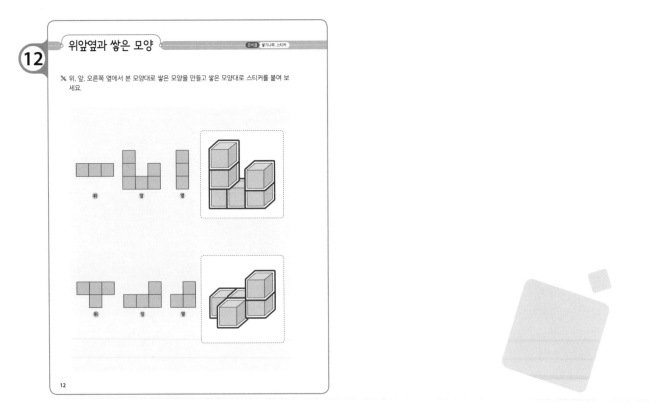

28

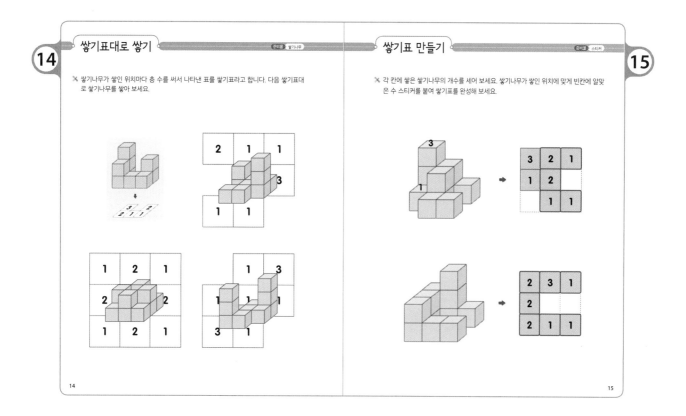

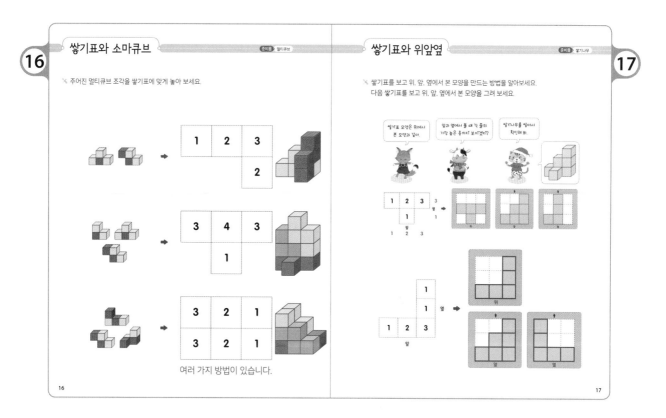

큐브빌드 B

위앞옆 완성

위앞옆 완성 정답

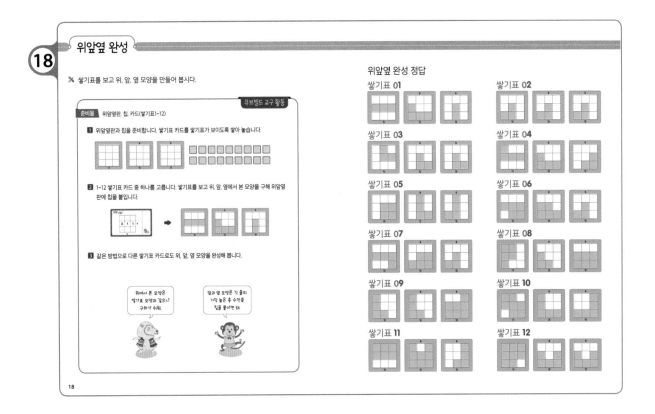

모양 만들기

사용하지 않은 조각

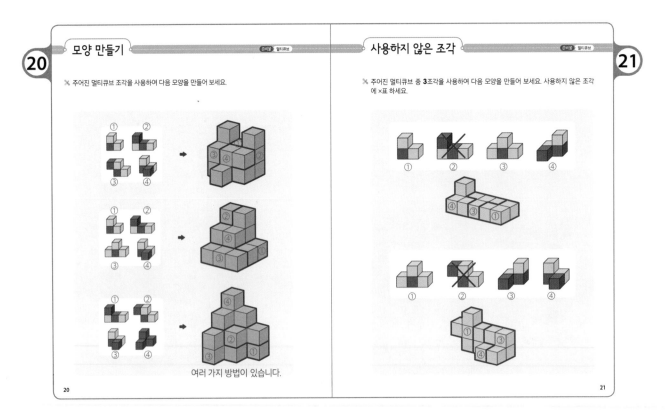

여러 가지 방법이 있습니다.

22 직육면체 만들기
준비물 멀티큐브

상자 모양의 입체도형을 직육면체라고 합니다. 주어진 멀티큐브 조각을 사용하여 다음 직육면체를 만들어 보세요.

23 모양 만들기
준비물 멀티큐브

주어진 멀티큐브 조각을 사용하여 다음 모양을 만들어 보세요.

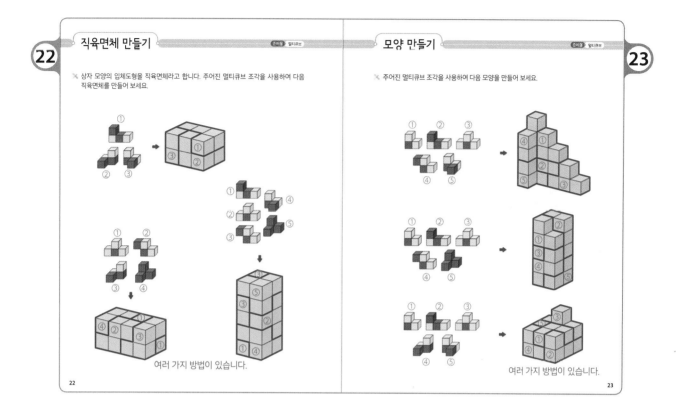

여러 가지 방법이 있습니다.

여러 가지 방법이 있습니다.

24 공룡과 전갈
준비물 멀티큐브

멀티큐브 중 주어진 소마큐브 7조각을 사용하여 공룡과 전갈을 만들어 보세요.

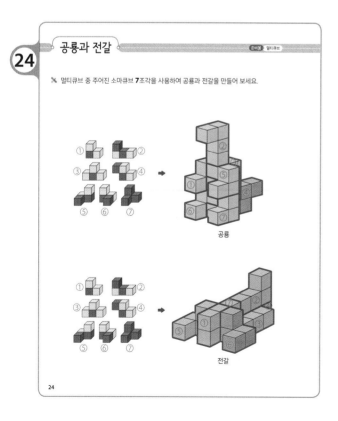

공룡

전갈

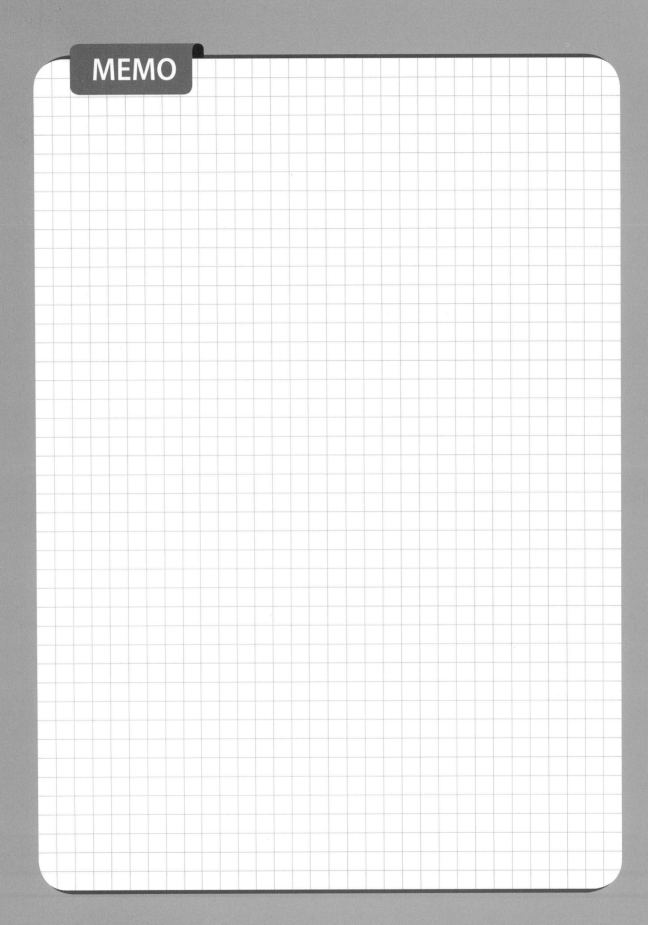

MEMO

큐브빌드 B

12쪽

15쪽

1　1　1　1　1　1　1　1　1

2　2　2　2　2　2　2　2　2

3　3　3　3　3　3　3　3　3

초등 수학 교구 상자

펜토미노턴

평면 공간감각을 길러주는 회전 펜토미노 퍼즐

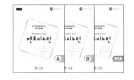

초등학생들이 어려워하는 '평면도형의 이동'을 펜토미노와 패턴 블록으로 도형을 직접 돌려보며 재미있게 해결하는 공간감각 퍼즐입니다.

큐브빌드

입체 공간감각을 길러주는 멀티큐브 퍼즐

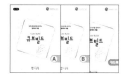

머릿속으로 그리기 어려운 입체도형을 쌓기나무와 멀티큐브를 이용하여 직접 만들어 위, 앞, 옆 모양을 관찰하고, 다양한 입체 모양을 만드는 공간감각 퍼즐입니다.

폴리탄

도형감각을 길러주는 입체 칠교 퍼즐

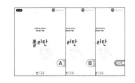

정사각형을 7조각으로 자른 '입체 칠교'와 직각이등변삼각형을 붙인 '입체 볼로'를 활용하여 평면뿐만 아니라 다양한 입체도형 문제를 해결하는 퍼즐입니다.

트랜스넘버

자유자재로 식을 만드는 멀티 숫자 퍼즐

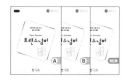

자유자재로 식을 만들고 이를 변형, 응용하는 활동을 통해 연산 원리와 연산감각을 길러주는 멀티 숫자 퍼즐입니다.

머긴스빙고

수 감각을 길러주는 창의 연산 보드 게임

빙고 게임과 머긴스 게임을 활용하여 수 감각과 연산 능력을 끌어올리고 전략적 사고를 키우는 사고력 보드 게임입니다.

폴리스퀘어

공간감각을 길러주는 입체 폴리오미노 보드 게임

모노미노부터 펜토미노까지의 폴리오미노를 이용하여 다양한 모양을 만들어 보고, 공간을 차지하는 게임으로 공간감각을 키우는 공간점령 보드 게임입니다.

큐보이드

입체를 펼치고 접는 공간 전개도 퍼즐

여러 가지 모양의 면을 자유롭게 연결하여 접었다 펼치는 활동을 통해 직육면체 전개도의 모든 것을 알아보는 공간 전개도 퍼즐입니다.

I hear and I forget 듣기만 한 것은 잊어버리고

I see and I remember 본 것은 기억되지만

I do and I understand 직접 해 본 것은 이해가 된다

Cube Build

큐브빌드

펴낸곳: ㈜씨투엠에듀   발행인: 한헌조

이 책의 전부 또는 일부에 대한 무단전재와 무단복제를 금합니다.

모델명: 필즈엠_큐브빌드
제조년월: 2023년 2월
주소 및 전화번호: 경기도 수원시 장안구 파장로 7(태영빌딩 3층) / 031-548-1191
제조국명: 한국

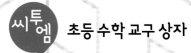

입체 공간감각을 길러주는
멀티큐브 퍼즐

Cube Build

큐브빌드

사고가 자라는 수학
 씨투엠

새로운 카드로 더욱 재미있는 활동을 해 보세요.

카드북 구성

위앞옆 카드 12장, 입체 구성 카드 12장, 쌓기표 카드 8장

위앞옆 카드 활동

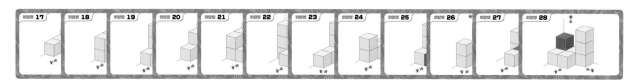

쌓기나무로 쌓은 모양을 보고 쌓은 모양의 위, 앞, 옆에서 본 모양대로 칩을 위앞옆판에 붙입니다.
문제에 빨간색 쌓기나무가 있는 경우 빨간색 칩의 위치도 맞아야 합니다. 카드를 뒤집어 정답을 확인합니다. 칩을 붙인 위치는
달라도 전체 위, 앞, 옆 모양이 같으면 정답입니다.
뒷면의 위, 앞, 옆 모양을 보고 쌓기나무로 쌓는 활동도 할 수 있습니다.

입체 구성 카드 활동

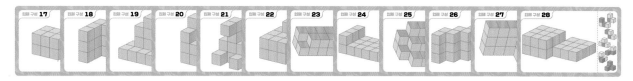

입체 모양을 보고 오른쪽에 주어진 멀티큐브를 모두 사용하여 똑같은 모양을 만듭니다.
카드를 뒤집어 정답을 확인합니다. 카드에 제시된 정답 외에 모양을 만드는 방법은 여러 가지가 있습니다.

쌓기표 카드 활동

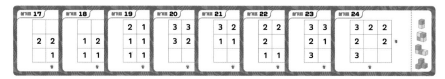

쌓기표를 보고 오른쪽에 주어진 멀티큐브를 모두 사용하여 쌓기나무판에 쌓기표대로 모양을 만듭니다.
쌓기나무판에 멀티큐브를 놓는 위치도 맞아야 합니다. 카드를 뒤집어 정답을 확인합니다. 카드에 제시된 정답 외에 모양을
만드는 방법은 여러 가지가 있습니다.

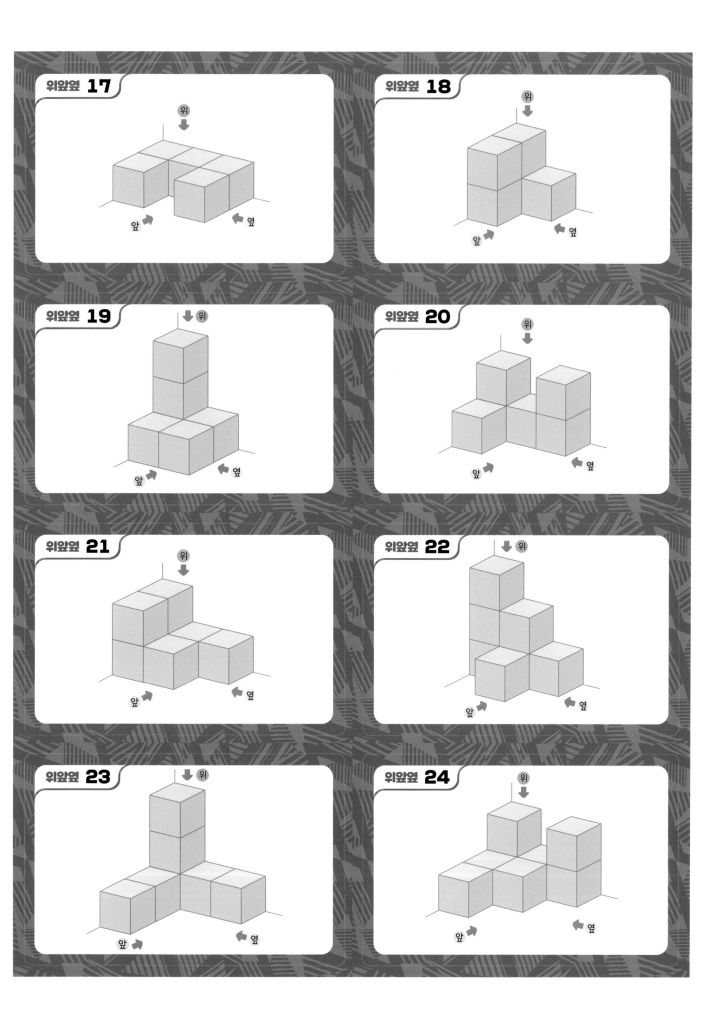

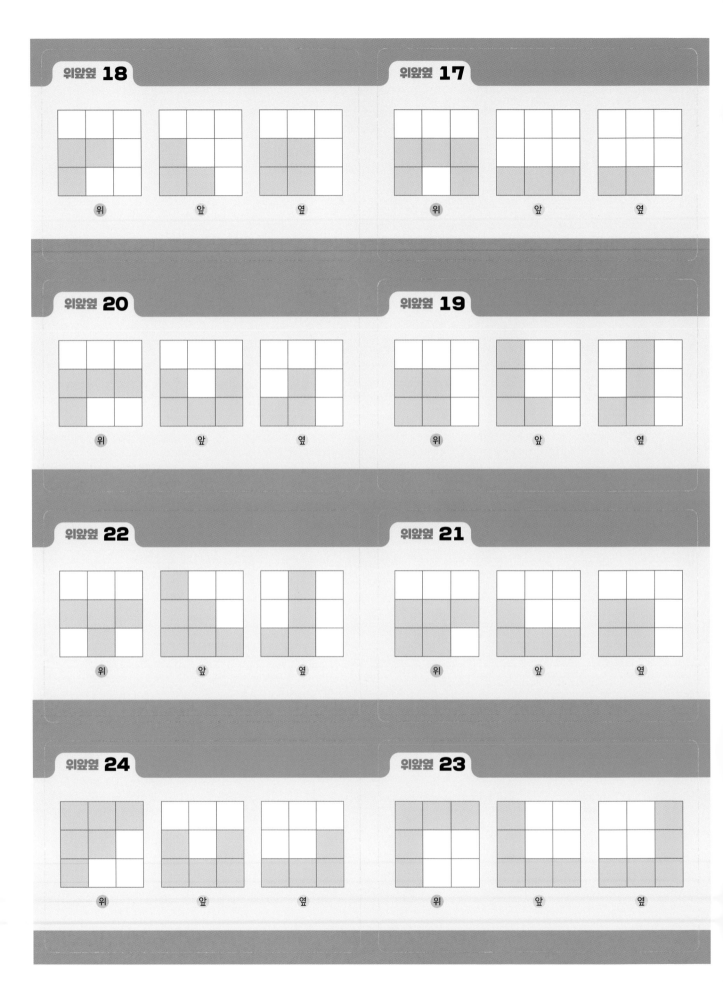

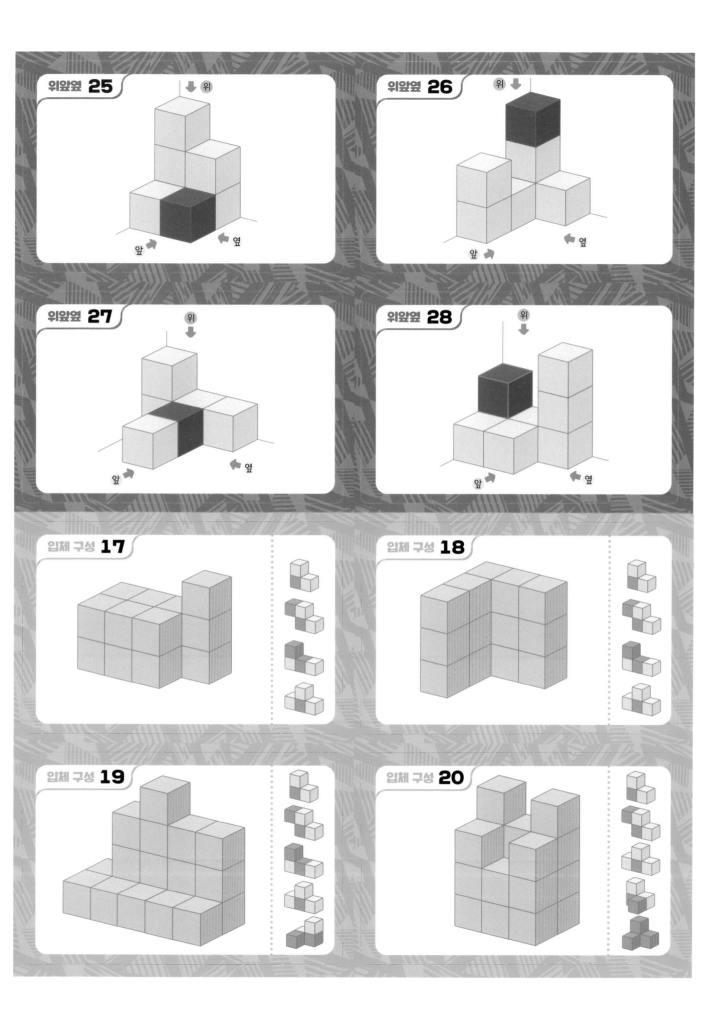

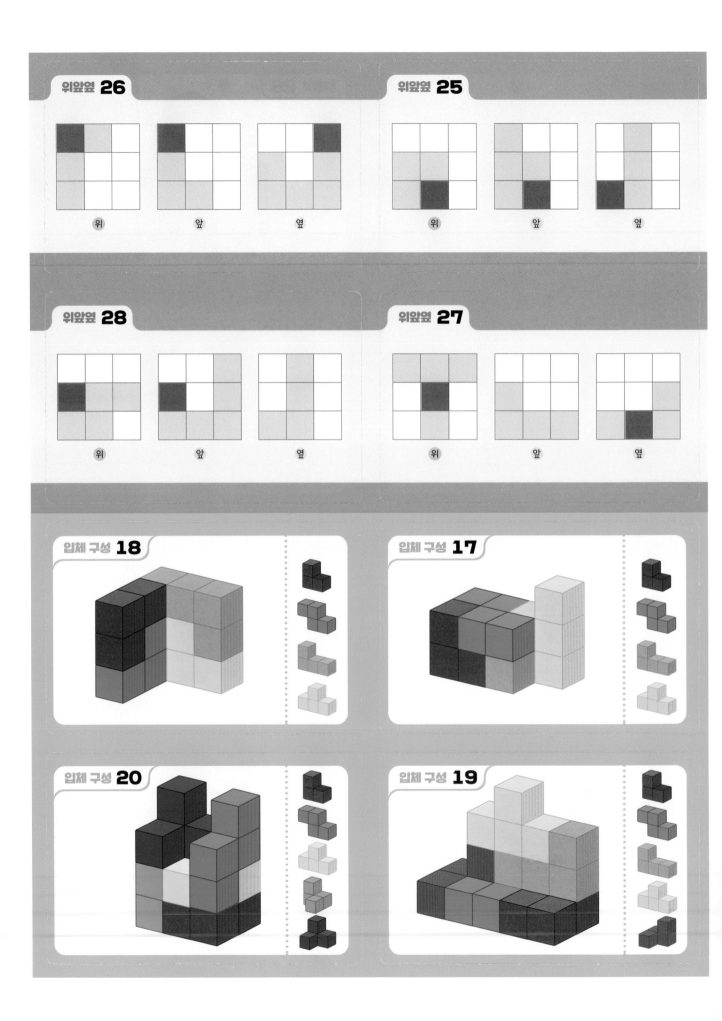

위앞옆 **26** 위 앞 옆

위앞옆 **25** 위 앞 옆

위앞옆 **28** 위 앞 옆

위앞옆 **27** 위 앞 옆

입체 구성 **18**

입체 구성 **17**

입체 구성 **20**

입체 구성 **19**

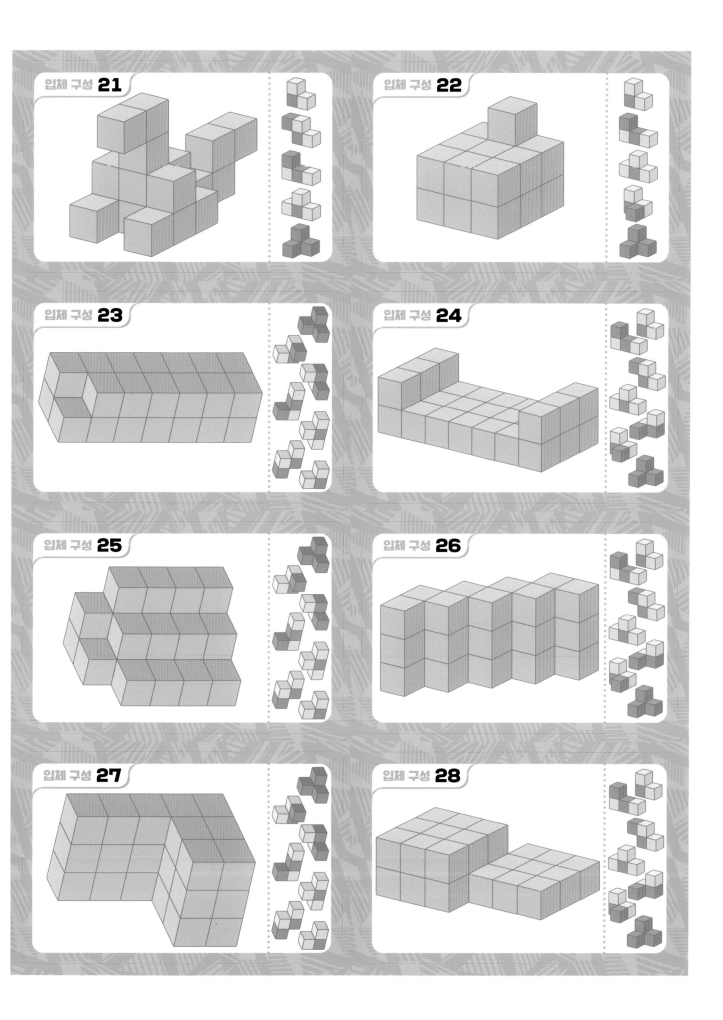

입체 구성 **21**

입체 구성 **22**

입체 구성 **23**

입체 구성 **24**

입체 구성 **25**

입체 구성 **26**

입체 구성 **27**

입체 구성 **28**

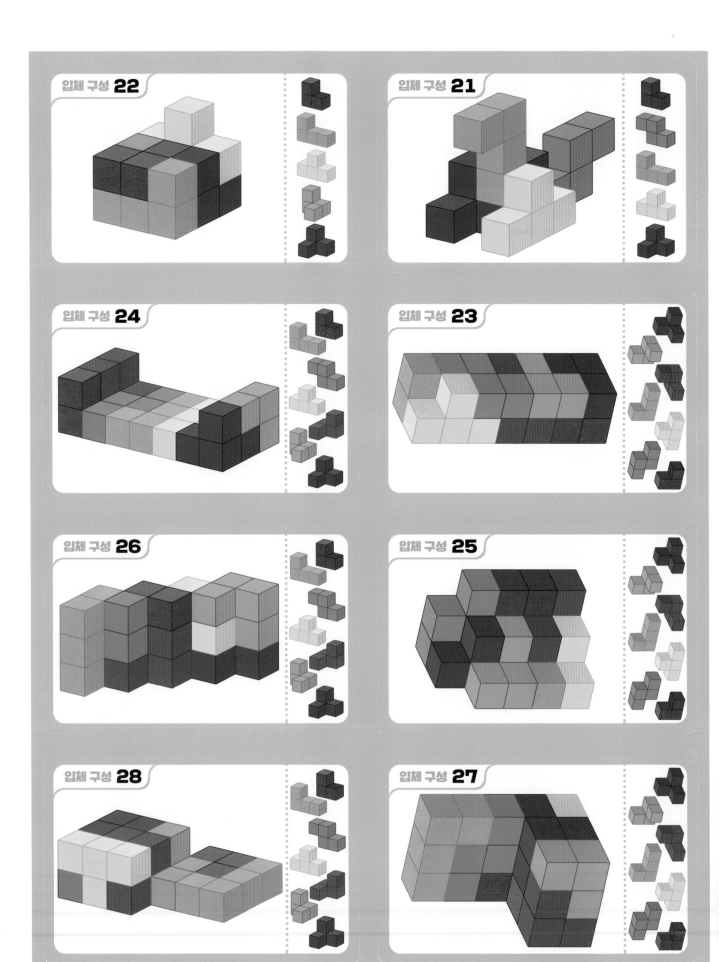

입체 구성 **22**

입체 구성 **21**

입체 구성 **24**

입체 구성 **23**

입체 구성 **26**

입체 구성 **25**

입체 구성 **28**

입체 구성 **27**

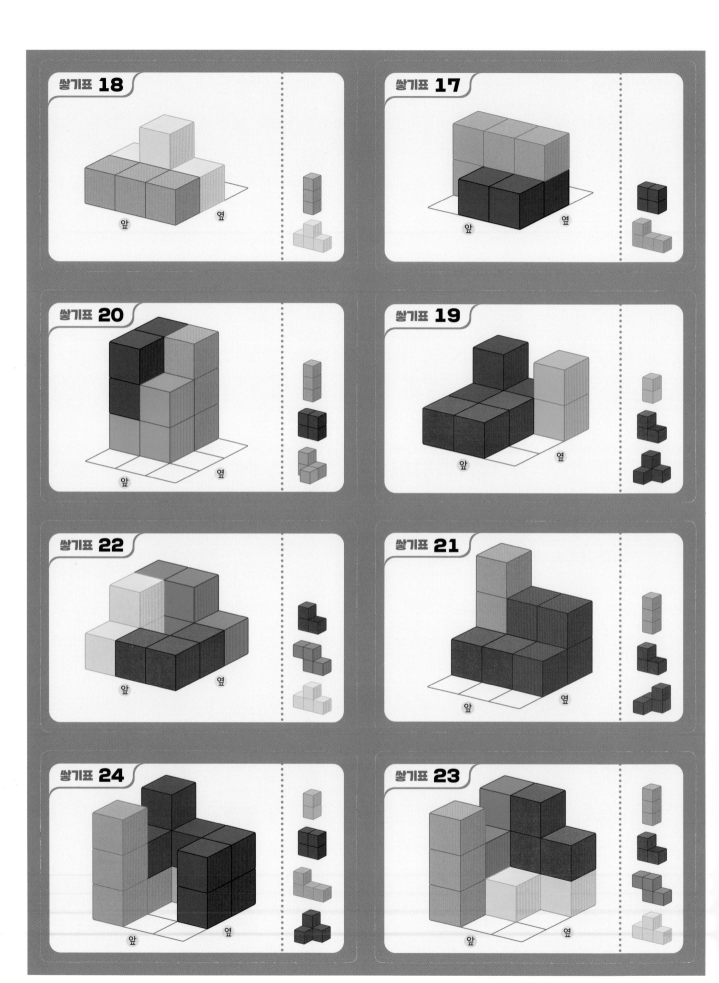

쌍기표 18

쌍기표 17

쌍기표 20

쌍기표 19

쌍기표 22

쌍기표 21

쌍기표 24

쌍기표 23

앞 옆

초등 수학 교구 상자

펜토미노턴

평면 공간감각을 길러주는 회전 펜토미노 퍼즐

초등학생들이 어려워하는 '평면도형의 이동'을 펜토미노와 패턴 블록으로 도형을 직접 돌려보며 재미있게 해결하는 공간감각 퍼즐입니다.

폴리탄

도형감각을 길러주는 입체 칠교 퍼즐

정사각형을 7조각으로 자른 '입체 칠교'와 직각이등변삼각형을 붙인 '입체 볼로'를 활용하여 평면뿐만 아니라 다양한 입체도형 문제를 해결하는 퍼즐입니다.

머긴스빙고

수 감각을 길러주는 창의 연산 보드 게임

빙고 게임과 머긴스 게임을 활용하여 수 감각과 연산 능력을 끌어올리고 전략적 사고를 키우는 사고력 보드 게임입니다.

큐보이드

입체를 펼치고 접는 공간 전개도 퍼즐

여러 가지 모양의 면을 자유롭게 연결하여 접었다 펼치는 활동을 통해 직육면체 전개도의 모든 것을 알아보는 공간 전개도 퍼즐입니다.

큐브빌드

입체 공간감각을 길러주는 멀티큐브 퍼즐

머릿속으로 그리기 어려운 입체도형을 쌓기나무와 멀티큐브를 이용하여 직접 만들어 위, 앞, 옆 모양을 관찰하고, 다양한 입체 모양을 만드는 공간감각 퍼즐입니다.

트랜스넘버

자유자재로 식을 만드는 멀티 숫자 퍼즐

자유자재로 식을 만들고 이를 변형, 응용하는 활동을 통해 연산 원리와 연산감각을 길러주는 멀티 숫자 퍼즐입니다.

폴리스퀘어

공간감각을 길러주는 입체 폴리오미노 보드 게임

모노미노부터 펜토미노까지의 폴리오미노를 이용하여 다양한 모양을 만들어 보고, 공간을 차지하는 게임으로 공간감각을 키우는 공간점령 보드 게임입니다.

I hear and I forget 듣기만 한 것은 잊어버리고

I see and I remember 본 것은 기억되지만

I do and I understand 직접 해 본 것은 이해가 된다

Cube Build

큐브빌드

펴낸곳: ㈜씨투엠에듀 **발행인:** 한헌조

이 책의 전부 또는 일부에 대한 무단전재와 무단복제를 금합니다.

모델명: 필즈엠_큐브빌드
제조년월: 2023년 2월
주소 및 전화번호: 경기도 수원시 장안구 파장로 7(태영빌딩 3층) / 031-548-1191
제조국명: 한국

사고가 자라는 수학